ワクチンからの脱出パスポート

【脳の化学的支配と人体実験】

泉パウロ

新型コロナワクチンは
第203回臨時国会で国会議員や、
その関係者、上級公務員らは
打たなくて良いとの話になってしまっています。
国会議員が接種しないものを
何故国民が接種しているのでしょうか?

今回の新型コロナ感染騒動で
世界のトップ富豪10人だけが
パンデミックに合わせて
約56兆6000億円の資産を増やしました。

メッセンジャーRNAワクチンを作成した
ロバート・マローン博士は、決してどんな状況の下でも
接種をするべきでないと言いました。
彼は、ワクチンを作りました、そして、その彼が、
3つの理由により、接種してはいけないと言います。

第1の理由：あなた自身の免疫システムが
35%劇的に減少します。

第2の理由：抗体依存性免疫増強が起こります。
臓器不全が起きるサイトカインストームに
至ることになります。

第3の理由：接種したすべての人に起こるのは、血液凝固です。

ＷＨＯの命令に反対した８人の国家元首のうち、
６人が暗殺されたことをご存知でしょうか。
ハイチのジョブネル・モイーズ大統領、
東アフリカ・タンザニアのジョン・マグフリ大統領、
アフリカ・ブルンジのンクルンジザ大統領、
アフリカ・チャドのイドリス・デビ大統領、
エスワティニ王国のアンブロセ・ドラミニ首相、
コートジボワールのハメド・バカヨコ首相、
いずれもワクチンを拒んだ国家元首たちです。
マダガスカルのラジョエリナ大統領は、
殺される寸前の体験をしました。
ベラルーシのアレクサンドル・ルカシェンコ大統領も、
ＷＨＯのワクチン要請を拒み、襲われて危うく殺されかけました。

ワクチン推進派のバックには
巨額の利権を持つ製薬会社と傘下の暗殺者たちがいます。
メディアは、ワクチンを全面支持しますが、
本当にその判断が正しいでしょうか？
そもそも暗殺してまで拡散しようとする新型コロナワクチン、
背後に悪魔を感じませんか。
悪魔から良いワクチンなんて出ません。

NYタイムズの看板ジャーナリスト、
マイケル・カプーゾは、ピュリツァー賞候補に
何度もなった優秀な記者でこう言います。
「WHOは大手の製薬会社などから寄付をもらっている。
だからWHOは公立ではなく私設と言い換えたほうがいい」
彼の記事は様々なデータを丹念に解読して書かれています。
WHOは5月、インド弁護士会から警告書を通知されています。
WHOの指針に従い、
インドでイベルメクチンの投与をしなかった州の感染者が、
劇的に増えたからです。

大手製薬会社は今、
イベルメクチンに代わる治療薬を必死に開発しています。
それで特許を取り、
利益を上げようとしているから
イベルメクチンの有効性を認めるわけにはいかないのです。

「日本には中国パンデミックの際、
大勢を癒した実績あるアビガンも世界が認める
イベルメクチンもあります。だからアメリカ、
イギリスの新型ワクチンはいらないです」
どうして日本の政治家はアメリカ政府に向かって
その勇気ある一言が言えないのでしょうか！
情けない。それどころか、益々自分から奴隷になっています。

イベルメクチンの開発者大村博士は冷静にこう答えます。

「現在、公表されている治験の結果は、
患者にイベルメクチンを投与した
医療現場の臨床をもとにしたものがほとんどです。
だから、一つ一つの治験の対象人数が少ないのは確かです。
でも、それを全体として見れば、
すでに相当数の人に治験が行われていることになる。
そのうえ有能かつ経験豊富なＦＬＣＣや
ＢＩＲＤの医師たちが、臨床試験を科学的に
メタ解析した結果、効果があると明言したのです。
それでもＷＨＯは認めない、というわけです」

ブラックロックというアメリカ最大の
資産運営会社があります。
彼らは資産十兆円あります。
今、彼らは新規でローンを買い取っているんです。
その本当の狙いは、経済が崩壊し、
不動産の金額が落ちた後で、
一気に物件を差し押さえる事なんです。
そうして中国人が大量に押し寄せてきたら、
その移民に対して渡すんですよ（背乗り行為）。
段取りがもうすでにできているんです。
だからこれは征服計画の第一歩です。

マイク　YouTube番組ブライティオンカンバセーションでは
ワクチンの成分の中に酸化グラフェンがはいっているという
危険性についてお知らせしました。
ここであるニュース記事を紹介させてください。
「インブレインという会社が脳の神経細胞である
ニューロンの開発に成功して
1700万ドルの資金をファンドで集めました。
この会社はAIを搭載した世界で初のグラファイト脳である
グラフェンインターフェースの技術を実現した」そうです。

グラフェンはバイオ電子回路の構築の為に使うものです。
つまりグラフェンを体に入れたら
脳とのインターフェースができることになってしまいます。
これは決してSFではありません。
私は陰謀ではなくニュースの記事を今、
読み上げたんです。
もちろん表向きはパーキンソン病を
治すための開発だと言いますよ。
でも真実は違います。

グラフェンの材料は炭素原子の格子を使っています。
とても強い素材だということです。
鉄の１００倍です。
更に、この成分は電気と熱伝導も可能にします。
つまり彼らにとって機械学習可能なソフトウエアを
人間の脳にワクチンを通じて
入れることが可能になるという訳です。

さらに、人間一人一人に適応した調整もできるようになれば
生体回路システムにより脳をコントロールすることが
可能になるというように記事には書いてるんです。

スティーブ　その通りです。ワクチン接種は戦争なんです。
これにより脳が相手に支配されるという訳です。
先日Amazonがアメリカ政府から認可を受けて、
人間が寝てる間の脳波の状況を
モニターするための器械の販売をスタートすると聞きました。
アマゾンは、この機会を通じて
人間の寝てる脳のデータを取り、
操作（潜在洗脳）をしようとするのでしょうか？

スティーブ　私は5Gというのは、
まだ前振りで本番は6Gだと思っています。
これは、すでにフィンランドで開発されています。
これが成功すると世界総合電子ネットの社会が
実現可能となるわけです。
つまり映画ターミネーターのスカイネットが
お披露目するという訳です。
そして、偶然にも映画ターミネーターと同じ言葉である、
「ジェネシス6」という名前が付けられてるんです。

「ジェネシス6というのは創世記6章のこと」です。
元々、天使だった存在である堕天使が
人間との間に子どもを作り、
罪を犯して天上から追い出されて
堕天使となってしまったんです。
堕天使は「悪魔」を意味します。
そして、この堕天使は死んでおらず、
生きたまま保存されたんです。
この6Gが世界で発動された時、
この世には、脅威の電磁波制約という世界が待っています。
そして、あなたもこの電磁波の攻撃を受ける訳です」

目次

Part I

コロナ、マスクからの脱洗脳パスポート

Chapter 1
証拠がいっぱい！ コロナは完璧に計画的（プランデミック）である！ 29

Chapter 2
コロナの嘘を発信・警告する医師たちの勇気ある真実の言葉！ 36

Chapter 3
全身にがん頭部が2～3倍、全身に毛、かぎ爪が……とんでもないワクチン副作用！ 48

Chapter 4
戦争の画策と経済のコントロール　53

Chapter 5
コロナは富を一挙に移動させた‼　56

Chapter 6
政治的な利害関係で日本が史上最多のゴールドラッシュ（東京五輪）　61

Chapter 7
ワクチン開発者の驚愕証言！　ＰＣＲの不正利用と感染者急増の理由！　64

Chapter 8
ワクチン反対で暗殺された国家元首たち　68

Chapter 9
ＲＮＡワクチン発明者ロバート・マローン博士の言葉　75

Chapter 10
ワクチン同様、人の接種物に毒を入れることは罪であり、呪いです　79

Part Ⅱ

欺瞞だらけ！　何のためのマスクなのか⁉

Chapter 11
子供マスクの危険性を説く神経生理学者（マスク不要論の根拠）　87

Chapter 12
世界規模の騙し事が起きる預言　99

新鮮空気の大切さ　エデンにも吹いていたそよ風　101

マスクと健康　104

ワクチン死者について 105

Part Ⅲ

神への反逆！ ワクチンの恐るべき目的はこれだ！

Chapter 13 いなごの大量発生 遺伝子組み換え生物化学兵器 109

Chapter 14 「豚の血と捧げ物」か⁉ ワクチンは聖書にある 112

Chapter 15 聖書の疫病解決策に学ぶときは、今！ 114

Chapter 16
ワクチンの語源はVacca（ワッカ＝メス牛）！ 117

Chapter 17
過激なワクチン接種をあおる報道と集団心理の応用 120

Chapter 18
大村博士のイベルメクチンが封印されている理由はWHOへの大手製薬会社の巨額寄付 123

Chapter 19
ワクチン接種者は、即見分けられるという陰謀！ 129

Chapter 20
ショーン・ブルックス博士の発言（2021年8月オハイオ州教育委員会にて） 137

Part Ⅳ

コロナは人類の囲い込み、奴隷化へのワンステップ！

Chapter 21
人類に対して仕掛けられていた超自然的な悪魔戦争（スティーブ・クウェイル談）
145

Part Ⅴ

闇権力はいつも聖書をヒントに災厄を起こす！

Chapter 22
世界の終わりの前兆が今、まさに、起こっている！
177

多くの人々が救われるリバイバルの聖書預言 182
聖書の預言／第三次世界大戦が起きます 184
富の二極化の預言／グレート・リセットの起源も聖書 185
繰り返される疫病の発想／第2波、第5波と再来する預言 187
行動制約受けた／巣籠コロナ自粛 189

Chapter 23
重度のビタミンD欠乏で死亡率が2倍 190

Chapter 24
311大地震、疫病コロナの次は食糧不足がやって来る⁉ 192

Chapter 25
鳥インフルエンザの起源も聖書から 196

Chapter 26
新型コロナは酒とタバコの煙に弱い？ 199

Chapter 27
ファイザーワクチンの治験完了は2023年5月、つまり今がまさに治験中！ 208
予防接種BCGワクチン接種効果 208
RNAワクチンを受けたヴァン・ウェルバーゲン医師の患者の血液分析 209

Chapter 28
超秘密内容物入りワクチン、ここまで恐ろしいとは⁉ 220
4社ワクチンに酸化グラフェン、日本採用のファイザー製には寄生虫まで発見！ 220

Chapter 29
こうしてゾンビ化計画が進行中！ 228
塩野義ワクチンは昆虫細胞遺伝子を組み込んでいる 228

Part Ⅵ

世界を断固として壊す
——その強固な意志の源泉を探る！

Chapter 30
ジョン・ロックフェラー、初代当主は、聖書利用で大富豪となった!? 235

ロックフェラー2世は、第二次世界大戦で油田獲得 243
ロックフェラー3世と911、311の真相 246
ロックフェラー4世、日航機撃墜のゲイツと共にワクチンビジネス 251
投資家で慈善家とされるジョージ・ソロスってどんな人ですか？ 254

Chapter 31
ダボス会議の内容を暴露する!! 258

COVID19 Road Mapは、コロナ利用の人口削減・人類管理の12ステップ手順書だった 258
グレート・リセットとは借金の踏み倒しシステムのこと⁉ 263
マスクの明らかな健康リスクを織り込み済み！ 266
おろかな行為⁈ マスク警察、自粛警察！ 271
どんどん進むワクチンパスポート 272
5Gリスクに備えよ！ 274
ホーキング博士の懸念 276
日銀もデジタル円に舵を切っていた⁉ 279
チップ埋め込みもどんどん進展中！ 280
日本政府のムーンショット計画もリンクする 282
ブロードウェイのミュージカルに入れない未接種者たち 284
入口で係がワクチン接種済み証明書の提示を求める 287
戦争について 295
あなたのための祈り方7ステップ 298

Chapter 32
歴史では、パンデミック後に経済が成長する⁉ 303

Chapter 33
すべてはお金！ 305
キャリー・マディ医師がファイザーの正体を内部告発 305
Chapter 34
繰り返される騒動、そして結論へ 307
『現代医療』は薬を売るために乗っ取られた 307

カバーデザイン　荒木慎司
校正　麦秋アートセンター
本文仮名書体　文麗仮名（キャップス）

Part

コロナ、マスクからの脱洗脳パスポート

Chapter 1

証拠がいっぱい！ コロナは完璧に計画的(プランデミック)である！

2020年、人類の半数が伝染病に

WHO 温暖化の健康被害予測

病原体原虫や蚊繁殖

オゾン層破壊 免疫力の低下招く

1990年5月2日、岐阜新聞の朝刊3面記事です。

出所はWHOの「地球温暖化の健康被害を予測する報告書」となります。

ここには「2020年、人類の半数が伝染病に」とあり、コロナ禍より30年も前から年代特定も正確にパンデミック予告がなされています。2020年とビンゴ！　こんなこと計画的に排菌（病原体のウイルスや細菌を排出すること）しない限り生き物のウイルス相手に未来予測なんて絶対できないことです。

１９９５年、新型コロナ禍より25年前のピエール・ギルバート博士の講演もあります。

「生物学的破壊には磁場で作られる騒動があります。その結果起きるのが人類の血液の汚染です。意図的な感染を引き起こすのです。これは予防接種を強制する法律で実施されます。そしてこれらのワクチンは人々をコントロールすることを可能にします。ワクチンには脳細胞でホストとなる液晶が入っています。そしてそれは、電磁場の小型受信機となります。そこにとても低い周波数の電磁波を送るのです。そしてこの低周波電磁波により、人は考える力を失います。皆さんはゾンビになるのです。これを仮説だと思わないでください。もう行われているからです。ルワンダを見てください」以上

ルワンダ虐殺では、数日前まで隣人同士だったアフリカ人のフツ族とツチ族が、斧やナタといった日常生活道具で互いに虐殺し合って回り、１００日間で50万人

もの命が奪われました。1日あたり5000人以上が犠牲になったのです。その死亡率だけを見るとホロコーストの数倍にもなると言われています。その背後にあるのが、遠隔操作によるマインドコントロールだったと、そう博士は語っているのです。

2010年5月、新型コロナ禍より10年前のことです。ロックフェラー財団が「未来の技術と国際的発展に関するシナリオ」という題名の53ページのレポートで、テクノロジー発展がもたらす15年から20年後の社会の変化を予測しました。その報告内容は、世界的なパンデミックとロックダウン、経済崩壊、政府による厳格な監視統制社会への移行です。ロック・ステップと呼ぶそのシナリオ要約は以下です。

「政府による厳しいトップダウンのコントロールともっと権威主義的なリーダーシップ。そして限られたイノベーションと国民の抵抗」

「2012年、世界が心配していたパンデミックがいよいよ発生した。2009年の『H1N1』の流行とは異なり、このインフルエンザの株は野生の雁から発生したものであり、恐ろしく感染力が強く破壊的だ。ウイルスが世界的に拡散し、7か月で世界人口の20％が感染して800万人が死亡したので、もっともパンデミックに備えた国であっても、圧倒されてしまった」

「しかしながら、特に中国など他の国よりも対応がうまかった国もあった。中国では政府による全国民の強制隔離や国境の完全閉鎖でウイルスの拡散をどの国よりも素早く止め、何百万人もの人々の命が救われた。そしてパンデミック後の急速な回復を実現した」

「物と人の国際的な移動は完全に停止した。観光業は衰弱し、グローバルなサプライチェーンが寸断された。国内でも通常は賑わっている店やオフィスビルは従業員も客もなく、何か月も空っぽの状態だ」

「パンデミックのさなか、世界の国々の政治指導者は権力を使い、スーパーや駅などの公共の空間に入るときにはマスクの着用を義務付け、体温を測るというような厳しい規制とルールを導入した。パンデミックが去った後も、国民を監視しコントロールするシステムはそのまま残り、さらに強化された。パンデミックや国際的テロリズム、そして環境危機や増加する貧困などのグローバルな問題から自らを守るために、世界の国々の政治指導者は掌握した権力を強化することだろう」以上

いかがでしょう。10年前の報告です。完全なる犯行予告と言えるのではないでしょうか。

ここで特に気になるのは、パンデミック後も、国民監視コントロールシステムが残り、国々の政治指導者は掌握した権力を強化するの文言です。まさにワクチンパスポート強制による同調圧力と迫害が今の課題です。先ほどもテレビでワクチン2回接種済み者たち限定に特典付き旅行などと報道していましたが、ワクチン接種なくば、アメリカもハワイも入国できない差別化がすでに始まりました。

２０１７年1月14日、新型コロナ禍より3年前にＮＨＫスペシャル「ウイルス〝大感染時代〟～忍び寄るパンデミック～」が放送されました。番組で描かれた内容は、強い毒性と感染力を兼ね備えた新型インフルエンザが感染爆発を起こす近未来です。日本政府は緊急事態宣言を発令し、街から人が消え、物流など多くの社会機能が麻痺します。ウイルスは鳥インフル変異型という設定で、最悪、日本人の4人に1人、３２００万人が感染し、64万人の死者が出るという不安をあおるフェイク報道。番組では「これまでのインフルエンザやノロウイルス、そうした感染症とはまったくレベルの違う、死に至る可能性の高い感染症、その爆発的流行が間近に迫っています」そう報じています。

現在2万人にも及ばない新型コロナ死者数から見ても、メディアの使命は大げさに恐怖をあおり、ワクチンを何度も打たせることに徹頭徹尾終始しています。

ＤＳ（ディープステイト）闇組織は、自分たちのしようとすることを事前に人々に告げること、という奇怪な独自のルールを厳守しているので、しばし連中は小説、新聞、映画、漫画、ドラマ、CM、ゲームなどさまざまなメディアを媒体に犯行予告します。時に失言や誤報のふりをしながら、実は本音をそのまま語っているという手法も取ります。

2021年5月5日、菅首相（当時）は、新聞記者会見のテレビカメラの前で、今回の4都府県非常事態宣言延長の効果にともなう感染者数についての最終質問に答えて本音を言いました。「あの、今日、すでに皆さんご存知だと思いますが、人口が減少している、そうした効果は出始めているのだと思います」

会場係「はい、ありがとうございます。」会見終了。

Chapter 2

コロナの嘘を発信・警告する医師たちの勇気ある真実の言葉！

・ノーベル賞・大村智（さとし）博士（月刊致知）
「メディアが恐怖を異常に煽っている。一年以内のワクチン開発などありえない。新型コロナウイルスは人工的に作られたのではないかと思われるフシがいっぱいある」

・本間真二郎医師
「コロナによる被害は、ウイルスによる病気や死亡よりも、特に子どもたちの精神に対する害が最も大きい。子どものマスクの着用により、身体、行動、学習、情緒のすべてにわたって非常に多彩な障害（副作用）を認めました」

・大阪市立大学名誉教授・井上正康氏
「PCRは諸悪の根源。コロナは人災である。指定感染症から外すか5類へ。コロナは分子構造、免疫特性、臨床症状まで非常に詳しく分かり既知のウイルスになった。

インフルエンザワクチンとコロナワクチンは決定的に違う。打つ必要無し。遺伝子改変と同じ医療行為で10年20年経たないと分からない。1回打ったら元に戻せないワクチン。生涯にわたり自己免疫疾患的な副作用を持つ可能性あり」

・帯津良一医師（週刊朝日）
「マスクは新型コロナに対抗するための免疫力を低下させます。免疫力の源泉が呼吸にあるからです。マスクをすればするほど免疫力を低下させて自分を新型コロナに感染しやすくしている」

・慈恵医大・大木隆生（たかお）医師

「非常事態宣言・外出自粛は2度と繰り返すべきではない」

・新井圭輔医師

「毎年1000万人以上がインフルエンザに罹患して、患者は冬季に集中しているのに『インフルエンザの流行で医療崩壊』は絶対に起こりません。新型コロナは1年かかって死者は2000人に到達しないただの風邪です。1か月で3000人を殺すインフルエンザの比ではありません。ただの風邪を2類という「ものすごい感染症」扱いして軽症者も入院させ、その結果、「ベッドが足りなくなる」⇒「コロナ以外の重症患者を入院させられない／通常の手術ができない」⇒「医療崩壊だ」と騒ぐのはあまりに頭が悪すぎませんか？　これは「医療崩壊」ではなく『医療、阿呆かい？』ですよ」

・石井仁平(じんぺい)医師

「世界一のベッド数で欧米の100分の1の患者数で崩壊させたら世界からどう思われるだろう？　日本人にとってコロナの致死率はインフルエンザ以下である

ことが明らかだ。死亡するのもほぼ持病持ちの高齢者で、インフルなら少なからず重症化する子どもはほぼ重症化どころか発症すらしない。それでインフルその他多くのずっと怖い感染症を減らしてくれたのだ。こんなに優しいウイルスはない。この冬は恐らく、歴史上最も感染症的に安全な年の一つになる。それなのに、なぜ自粛する？　経済を止める？　インフルが大流行した一昨年まで、自粛したか？　経済を止めたか？　人にマスクしろと言ったか？」

・藤原紹生（ふじはらつぐお）医師

「ＰＣＲ陽性者＝感染者ではありません。ＰＣＲ検査をやり続けた場合、永久にゼロにはならず、この騒動はいつまでも収束しません。今回の騒動は考えれば考えるほど疑問だらけです」

・金城信雄医師

「マスクをして会話をすることで微生物の受け渡しができずに免疫を上げることが妨げられ、余計に感染しやすい身体になってしまいます。子供たちにマスクをさせているのは馬鹿げている。

　医療機関や学校などでＰＣＲ陽性者が出た時に全員に検査をして複数の陽性者が見つかるとクラスターだと騒いでいますが、無症状の陽性者を見つけても誹謗中傷の的を増やしているだけで、どうして風評被害を拡げようとするのか理解できません。経済を落ち込ませ、人々の心を荒(すさ)ませ、相手を信じられなくするような社会を作り、コロナ死亡者以上に非感染者の自殺者を増加させて、どうして平気で居られるんでしょうか？　もうそろそろこの茶番を終わらせてもらえないでしょうか？」

・後藤礼司(れいじ)医師

「食事中にマスクをつけたり外したりしろなんて言うのはナンセンス。感染の基本が分かっていない。無しです。

　心筋梗塞で亡くなったのに、コロナ陽性であればコロナで亡くなった、としている現状にはものすごく不満を抱いている。医師が付けた病名、死因を覆すことはあってはいけないと思う」

・小林有希医師

「ＰＣＲという当てにもならない検査で『陽性になった人』の数を、『感染者』とすり替えて虚偽報道していますが、これは犯罪です。ＰＣＲ陽性者を感染者だと言って、しょっぴいて隔離処置にし、職場にまでガサ入れする。これは重大な人権侵害、営業妨害です。マスクも感染を防御する効果は全くありません。効果がないだけならともかく、マスク長期着用は有害で危険です。慢性的な低酸素血症を引き起こし、免疫力低下をもたらします。さらにマスクに付着した細菌や真菌、ウイルスで逆に不潔で感染のリスクが高まります。また、装着2時間後から記憶を司る海馬の細胞が死に始め、長期着用で認知症や子供の発達障害の危険が出てきます。人の表情が読み取れないことから小児には重大な精神発達障害、コミュニケーション障害も懸念されます。三密を避け、寄るな、触るな、こもってろ。これも嘘です。『新しい生活様式』とやらは、免疫を低下させ、さっさと死んでもらうための様式としか言えません」

・正木稔子医師

「日々繰り返される報道の偏りと嘘。未だに陽性者数を報道する時に検査件数は報道しない。「陽性」と「感染」と「発症」は違うと医学部で教わったが、指摘する人は少ない。あまりに質の悪い報道が多い。本来ワクチンは治験を含めて開発に10年以上かかるのに、たった半年でできたと言っている。何年も前から準備していたか安全性が確認できていないものを垂れ流すか、どちらかしかないだろう。安全性が確立されていないものを患者さんに打つわけにはいかない。私自身も打たないと決めている」

・武田恒弘医師

「マスコミは、どこでクラスターが発生したと、連日施設名、学校名など出して報道していますが、それでどれほど傷つく人がいるのか、無責任なものです。クラスター！　とレッテルを貼られて報道されてしまうのは非常に疑問です。決して犯罪者ではありません。さらに、国や専門家から『気が緩んでいる！』などと上から目線で言われるのは、あまりに不愉快です。そのような報道には惑わされず・振り回されずに、心身の安定を図るような日常を心がけましょう」

・船木威徳医師

「「陽性」イコール「感染」とは、絶対にならない」

・中村篤史医師

「接種する意味のあるワ苦チンは一本もない。ワ苦チンには様々な有害物質が含まれている」

・整体師・西田聡先生

「健常者のマスク常用は無意味どころか、かえって感染拡大に加担したり、健康を害するリスクが明確」

・石川眞樹夫医師

「ワクチンは難病奇病万病の原因です。打ってはいけません」

・高橋徳医師

「第3波到来と大騒ぎをしている背景にはPCR増幅回数のトリックがあります。無症状や軽い風邪の人にいきなりPCRを実施し、増幅を40回以上繰り返し「コロナ感染者」と診断しているのが現状。人類がかつて接種されたことのないDNA・RNAワクチンだけに、免疫系の暴走や遺伝子異常など何が起きるか分かりません。打つな！　新コロナワクチン」

・竹林直紀医師

「ウイルスや細菌などが付着したままの同一マスクの常時着用は、感染のリスクを高めてしまうという極めて当たり前の考え方が、感染症専門家が何故できないのか不思議。マスク着用は、感染を逆に広げ重症化の要因になりうる。感染状況が一旦収束してから、第2波防止のためマスク着用を義務化した多くの国で感染者数が逆に増えています」

・萬田緑平医師
「風邪のワクチンは変異するから作れないとわかっている。詐欺にしか見えない。副反応以前の問題」

・小峰一雄医師
「ＰＣＲはあまりに不確定な検査。これ以上継続したら世界中の皆様が地獄へ向かうことを警告させていただきます」

・杉田穂高医師
「感染者が増えているという嘘を垂れ流し、自粛させ、経済悪化を招き、倒産者、解雇者、自殺者を増やすのか？　犯罪でしかない」

・立命館大学政策科学部　上久保誠人教授
「新型コロナを『指定感染症』から外すことである。『ただの風邪』である若年層には明らかに過剰な措置だ。数日で回復する軽症の感染者であっても入院隔離となり、病床が埋まる。その結果、医療関係者の負担が過多になり、本当に医療措置が必要な高齢者や基礎疾患を持つ人のための医療体制が崩壊に向かいつつある」

・伊達伯欣（ともよし）医師
「症状がない限り、マスクをしても意味がない。マスクで息苦しくなると肺炎のリスクが高まります」

・上久保靖彦教授
「再自粛・社会的距離・三密回避は不要。ウイルスとの共存を」

・田中佳医師
「『予防接種をしていると発症が軽く済む』という話ですが、予防接種の原理は抗原抗体反応です。医学生理学的に1対1対応です（鍵と鍵穴）。ということは防げるvs防げない（ドアが開くvs開かない）だけになります。発症した時点で予防接種は無効だった証とも言えるでしょう。故に、軽く済むということはない訳です。軽く済んだのは、貴方の免疫力のお陰様に他なりません」

・松本有史医師

「ＰＣＲ検査を行うこと自体に意味がない。このような検査で確定診断しているのはもはやファンタジーやオカルトの世界の話」

Chapter 3

全身にがん頭部が2〜3倍、全身に毛、かぎ爪が……とんでもないワクチン副作用！

モデルナ社の内部告発者によると、モデルナ社のコロナワクチンの臨床試験に参加し2回目のワクチンを打った被験者1万5000人のうち、3人に恐ろしい副反応が出ました。それはモンスタリズムと言われる変性疾患であり、肉体的奇形と精神異常の症状が現れます（被験者3万人のうちの半数はプラシーボ（偽薬）を注射されました）。モデルナ社へは、1回目のワクチン接種後にも副反応があったと報告されましたが、その事実を隠蔽しました。

米政府はモデルナ社のワクチン開発に十億ドルもの支援金を提供していました。

被験者の一人（男性）は、ワクチンを接種した2日後に、頭痛、吐き気、体毛が全身に生える、上腹部の食後のブドウ糖濃度の拡大？ などの症状に苦しみ、モデルナ社に電話をかけ、これらの症状が出ていることを伝えました。しかしモデルナ社は「そのような症状は正常であり心配することはないが症状が翌朝まで続くなら近くの病院の緊急治療室で治療を受けてください」と答えたのです。

翌朝、彼は病院に駆け込みましたが、彼の顔は完全に変形していました。頭部も通常のサイズの3倍まで膨れ、顔には大きなこぶができ、こぶの中には緑膿が溜まっていました。

さらに彼の歯はどれも破裂したような状態になっていました。彼はすぐにコロナ隔離病棟に送られましたが、数時間後、全身に体毛が生えました。まるでチューバッカのようでした。

モデルナ社のCEO（億万長者のフランス人、ステファン・バンセル）は、「モデルナ社のワクチンがこのような（突然身体が変形する）副反応を生じさせたのではない。彼にはスクリーニングで特定されなかった基礎疾患があったはずだ」と主張し、モデルナ社の従業員らに対しては、いかなる副反応の報告があっても、発表することは機密保持契約に違反するため絶対に発表するなと指示しました。またバンセルは複数の病院の責任者らに巨額の賄賂を贈り、この副反応は特殊ケースであるとして絶対に口外しないことを約束させました。

しかしその2週間後に2回目のワクチン接種をした被験者（32歳女性）にも同種の深刻な副反応が出ました。背中に体毛が房になって生えてきたのです。顔にも腫物ができ、数日後には顔のサイズは2倍に膨れてしまいました。また、彼女の爪は全て剝がれ、その後、かぎ爪が生えてきました。彼女は狂暴になり、話すこともできなくなりました。彼女は病院の看護師に対し、爪で引っかいて重症を負わせました。

片目が大きく腫れた顔のアニメはザ・シンプソンズのワンシーンですが、この犯行予告アニメでは、副作用の変形した顔を事前の人体実験で知ったうえで、アニメに事前告知していたのです。恐ろしく汚い奴らです。

私の前の書『新型コロナウイルスは細菌兵器である！』に詳細を書きましたが、大阪ウィルスなる関西中心のパンデミックが来ることもアニメに予告されていました。2021年9月15日の感染状況が犯行予告通り東京1052人を抜いて大阪1160人で全国ワーストワンになっています。2年がかりです。新型コロナワクチンは第203回国会で国会議員は打たなくて良いとの話になってしまっています。国会議員が接種しないものを何故国民が接種しているのでしょうか？

日本で1番大きいケーブルテレビJ：COMで最近、放送されたアニメ・AKIRAでも、最後に覚醒した暴走族メンバーが、日本政府、自衛隊と戦い、覚醒して醜いネフィリム巨人になります。アニメで巨人になった暴走族はCIA傘下の者たちを意味すると思われます。

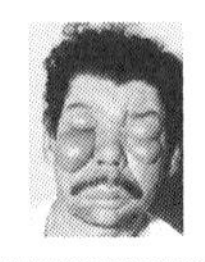

モデルナ接種者
モンスタリズム。
怖いので画像は
小さくしました。

2021年９月15日 23：59時点

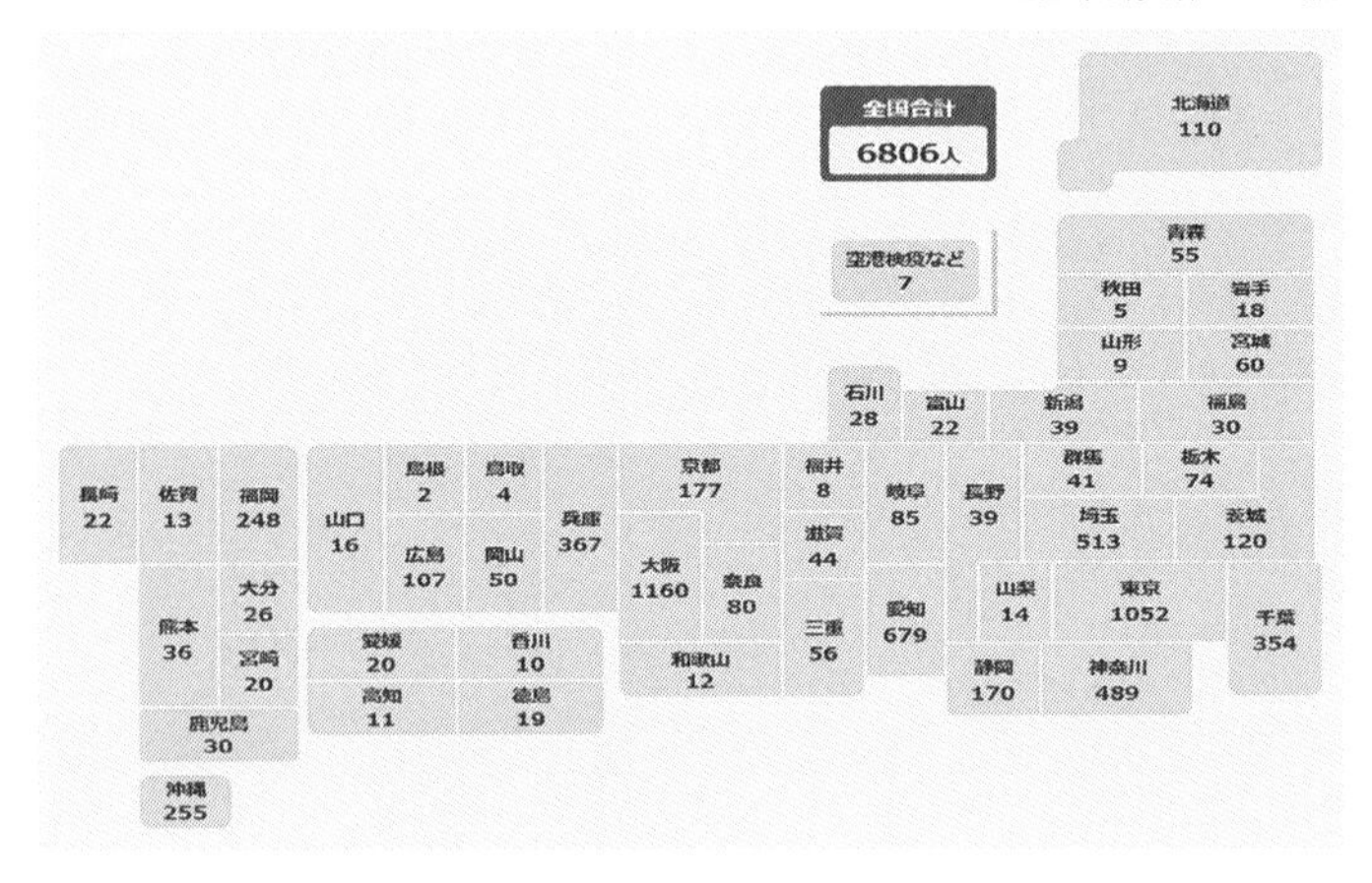

Chapter 4

戦争の画策と経済のコントロール

過去10年間、アメリカは、中国がGDP世界一になるのを恐れ、尖閣をめぐる緊張と混乱に乗じて日中戦争を勃発させ、両国を疲弊させ、東アジアの利権を一気に独り占めする戦略的シナリオを描いていました。

ハーバード大学の政治学者ジョセフ・ナイ氏は、アーミテージ・ナイレポートで世界の覇権をどう握りつづけるかという戦略論を語り、「アジアの緊張を高め、日本は中国の脅威を煽る反中ナショナリズムによってアメリカの計画に埋め込まれ、そのようにコントロールされるだろう」「日本に反中ナショナリズムを起こせ」「日本をアメリカの計画に埋め込め」「日本をコントロールせよ」などと作戦指導していました。

もし、日中戦争が起きれば円も元も大暴落となり、頼れる戦費は、巨額の米ドルしかなく、その貸し付け能力を持つ国際金融資本ディープステートだけが莫大に儲けられるのです。ご存知のように、アメリカ中央銀行にあたるＦＲＢは一私企業ながら世界の金融政策をコントロールしてドルを世界の基軸通貨としています。

彼らは、日本が勝てば、中国資産を押さえて金融支配でき、中国が勝てば、日本資産を押さえられます。しかも両国から貸付戦費の莫大な金利も得られます。過去にもヨーロッパの大銀行家が所有する多国籍企業は、同様の手口でヨーロッパ、アジア、中東と支配圏に存在する国家同士を争わせて、戦火の両国に武器販売と戦費を貸し付けるビジネスで莫大な利益を得ています。ソビエト崩壊時もエリツィン大統領は、ソ連が終わって残ったのは西側の銀行に対する借金だけだったと語っています。

トランプ大統領は「私はディープステートと日々戦っている」と公言して、戦争計画に乗らず、在任中に戦争を起こさなかった指導者です。だから日米メディアを支配しているディープステートは、軍産複合体として戦争ビジネスでいつも武器商人になり儲けていたのに、トランプだけ自分たちの計画に従わないから憎くて迫害します。トランプは北朝鮮まで行き、戦争にならないようトップ会談に成功しました。中東でも同様にアラブ諸国と和平を進めました。戦争せず、逆に平和と和解に務めたので、メディアを支配するディープステートは、トランプをいつも悪人呼ばわりして捏造批判しています。

歴代の大統領は、すべてディープステートの操り人形として従順に戦争ビジネス計画に従いましたが、トランプだけはギャンブル事業で成功した富豪であったため、ディープステートの動かす巨額の政治献金や賄賂の誘惑では動かず、自らの固い信念によって行動できたのです。

イエス様の預言では、敵対的買収のハゲタカファンド台頭が世界の終わりになると現れるしるしです。戦争解決策は不戦を決意して、戦いを起こさないことです。

マタ26：52「イエスは彼に言われた。「剣をもとに納めなさい。剣を取る者はみな剣で滅びます。」

Chapter 5

コロナは富を一挙に移動させた!!

台湾のホンハイが買収したシャープ、仏ルノーが出資する日産自動車は事実上、すでに外資系企業です。ソニーやオリックス、三井不動産、良品計画は日本企業なのに、外国人の持ち株比率が50％を超えて海外勢に乗っ取られた実質外資系です。東芝にいまイギリスの投資ファンドが買収提案中です。

証券アナリストによると、売国奴の総理大臣が推し進めたアベノミクス計画が円安や官製相場によって株高をつくり、その副作用で日本の優良企業が海外ハゲタカの餌食になっていると指摘します。

イエス様の預言では、敵対的買収のハゲタカファンド台頭こそが終末のしるしなのです。今がその時、ハゲタカファンドが急速に日本の優良企業相手に敵対買収を仕掛けている世界の終わりの時なのです。

マタ24：28「死体のある所には、はげたかが集まります。」

イエス様が2000年前に預言された死体のある所に集まるハゲタカのファンドってなんですか？　ハゲタカは下品な鳥で、血の死臭をかぎつけて荒野に集まり、最後は骨になるまで弱った動物を貪り食います。ハゲタカの頭に毛が生えていない理由が、獲物の死体に首を突っ込んで食するため、後に血や肉が頭部の羽毛に付いて残ると腐り、病気の原因になるため、最初から頭に毛がない鳥としてハゲだからハゲタカと呼ばれます。インドでは人の死体を荒野に放置してハゲタカの餌にしてから埋葬する習慣あるほど、肉を徹底的にむさぼる下品な肉食猛禽鳥です。

ディープステートが送り込む外資系のファンドこそ、ハゲタカのような性質を持つ邪悪組織です。彼らの巧妙

に仕掛けた罠にはまって風評被害で株価暴落、信用喪失で弱体化させた日本企業を狙って集まり、足元を見ながら二束三文で買い叩き、丸ごと乗っ取り、その後は膨大な資金力と株価操作とメディア操作で企業再建させてから、忠実によく働く日本人労働者たちを奴隷支配する、卑劣で獰猛なハゲタカファンドの乗っ取り戦略です。

巧妙に作り出した偽りのコロナ禍で中小零細企業の倒産件数が急増しています。血の匂いを嗅ぎ付けたハゲタカが日本経済の上空に舞っています。

近年、物言う役員と騒がれた、経営にまで参加しようとする株主連中も、企業崩壊目的で経営に積極参入して滅ぼし、外資ファンドに手渡すためのお膳立てをする内部スパイなのです。

マタ24：29「だが、これらの日の苦難に続いてすぐに、太陽は暗くなり、月は光を放たず、星は天から落ち、天の万象は揺り動かされます。」

ハゲタカファンド台頭のこの時期、異常気象が連動して激しいです。理由は、彼らの得意技、ＨＡＡＲＰ気象兵器の乱用や戦争ビジネス、武器販売のデモンストレーションだった戦後の米ソの２０００回以上もの核実験の結果、放射能が大気圏の電離層を破壊したから地球のバランスが崩れ、異常気象が激しくなったのです。集中豪雨や猛暑に冷夏、原因はCO_2増大やエルニーニョ現象のせいではなく、それはわずかな影響だけ、本当は米ソが核実験をやりすぎて地球を宇宙から守っていた電離層がほころんだせいなのです。残念ながら一度破れた電離層はフロンガス排出で破れてしまったオゾン層同様、人間の科学力では到底修復できません。ただ、イエス様の与えて下さる新しい天と新しい地、千年王国と天国が来る日を待つしかないのです。

メディア誘導で益々、６６６世界政府樹立に向けた諸国統一を加速させる悪いリーダーたちがいます。それは、国際ＮＧＯのオックスファムの発表では、今回の新型コロナ感染騒動で世界のトップ富豪10人だけがパンデミックに合わせて約56兆６０００億円の資産を増やしました。さらに、スイス金融大手ＵＢＳの報告では、世界のトップ富豪10人以外の富裕層資産も過去最高を記録しました。

特にテクノロジー分野や医療産業界の最高幹部らが最も資産を増やしました。世界の富豪の資産は4月から7月の3－4か月間だけで27・5％も増え、約10 8 1兆2 3 0 0億円に達しました。それは新型コロナで生じた世界の貧困化を完全に防げる額です。言い換えれば、彼らの当初からの狙い通り、コロナ禍で貧民層の富が富裕層に大移動したということです。バベル経済の富の二極化。人口削減と警察国家樹立の礎だったのです。

Chapter 6

政治的な利害関係で日本が史上最多のゴールドラッシュ（東京五輪）

五輪競技には、開催国にとって得意な種目を増設したり、不得意を廃止したり組織的操作は、以前からありました。今回その影響はわずかで、金27、銀14、銅17個ものメダル獲得の快挙は、選手たちの努力に加えて政治的な利害関係です。

金正恩氏は、大のスポーツ好きです。東京五輪参加で北朝鮮の強さを世界にアピールしたかったのですが、プロパガンダ戦略が頓挫してしまった主要因は韓国との関係です。

経済も国際関係もウイルス対策も敗北続きの文大統領は、東京五輪で南北同時入場を再び実現して、名誉挽回で支持率を上げるため政治利用したかったのですが、金正恩氏は、韓国の対応に不満爆発でした。文大統領は、南北首脳会談で決めたケソン工業地帯や観光事業の正常化などの合意事項を、なにひとつ実行していない。さらに今年1月に金正恩氏は、「首脳会談が実現した3年前の状態に戻したいのなら米韓軍事演習は止めろ」とメッセージしたのに、文大統領は演習を強行。この文大統領への反発が、「北朝鮮は悪性ウイルスによる危機的状況から選手を守る」という表向き理由で、東京五輪不参加となりました。

五輪は失敗するだろうという目算も外れ、それなりに「おもてなし、お客なし」でも盛り上がりをみせ、思い通りにならない金正恩氏は、「日本は朝鮮民族千年の宿敵であり、悪性ウイルスよりさらに危険な平和の破壊者だ」「東京五輪を帝国主義の復活に利用している」と糾弾。韓国紙記者は、金正恩氏は、自身の判断を正当化するため、五輪開催を強行した日本を苦しまぎれに批判したのでしょうと意見する始末です。

実は北朝鮮のスポーツレベルは高く、これまで夏の五輪で16個の金メダルを獲得した強国です。理由は、不名誉選手は家族ぐるみで排除、粛清される驚異がある為、命懸けです。結果、国民の五輪への関心は高いです。

今回、もし、文大統領が金正恩氏を怒らせなかったら、北朝鮮の東京五輪不参加とはならず、日本が誇る歴代最多数の金メダルのいくつかは持っていかれたことでしょう。だから、金正恩氏は、栄光の機会独占の日本が悔しいのです。ちなみに「日本は朝鮮民族千年の宿敵」の文言は刑務所にいる朴元大統領の発言と同じ言葉で、儒教の影響による「ハン、憎しみ」の思想は、いつもブーメランのように自らを滅ぼす反聖書的な危険思想です。

箴26：26－27「憎しみは、うまくごまかし隠せても、その悪は集会の中に現われる。穴を掘る者は、自分がその穴に陥り、石をころがす者は、自分の上にそれをころがす。」

Chapter 7

ワクチン開発者の驚愕証言！PCRの不正利用と感染者急増の理由！

２０２０年12月ごろからなぜ、急に新型コロナ感染者数が増加したか、それはＰＣＲ検査が増えただけのことです。

政府は感染者数が増加したと報道したい時は事前に検査数も増やします。ＰＣＲを発見し、１９９３年にノーベル化学賞を受賞した米国生化学者キャリー・マリスは、ＰＣＲをコロナ感染者のカウントに使えば、後に大ごとになると警告していました。

ＰＣＲ法は、遺伝子（ＤＮＡやＲＮＡ）配列を可視化するために遺伝子（ＤＮＡやＲＮＡ）の一部を数百万から数億倍に複製する技術で、ウイルスそのものを検出するのではなく、唾液などのサンプルの中に新型コロナウイルスの遺伝子の一部があるかを見て、ウイルスの存在を間接的に判断するという方法です。そのため、遺伝子配列が全て一致していなくても、遺伝子の一部さえ合致していれば、他のウイルスでも検出し、陽性反応を示します。

さらに、複製回数（サイクル数）によっても陽性率が大きく変化します。

また、そのウイルスの特性まではわからず、感染力のない微量なウイルスや、死んだウイルスでも存在が確認されれば陽性となります。

実際にＰＣＲの検査キットには、新型コロナだけでなく、インフルエンザ、マイコプラズマ、アデノウイルス、ＲＳウイルス、クラミジア等にも反応すると記載があり、「コロナウイルス感染症の診断の補助としての使用を意図したものではない」「研究用としてのみ使用し、診断手順に使用するためのものではない」との記載があります。

ＰＣＲ検査の本来の有用性は未解決事件の犯人が残した体液や血痕などから固有のＤＮＡ断片だけでも拡大観察で犯人特定ができる優れた技術ですが、新型コロナが体内組織に深く入り込んで感染、排菌している症状観測とは次元が別物です。

ＲＮＡウイルスは変異しやすく、ＰＣＲ検査導入では全体の３００分の1だけを数億倍に拡大観察しているだけにすぎないのです。これは害毒の触媒で陽性反応は即、感染症ではなかったのです。本当の感染症とは、例えばインフルエンザウイルスの場合では、粘膜等にウイルスが付着しているだけでは感染と言わず、細胞内にウイルスが入り込んで増殖した状態ではじめて「感染」と診断されます。

ところが、ＰＣＲ法は遺伝子を数億倍に増幅するため、実際には数個のウイルスが粘膜表面に付着しているだけの人も「陽性」になります。検査時に飛翔ウイルスをたまたま吸い込んで鼻やのどに付いていても、咳やくしゃみで吹き飛ぶのに、付着だけで、しかも新型コロナでないインフルや他のウイルスであっても誤反応して陽性とされます。陽性反応とされた全員が本当に感染症ではないのです。日本の場合、国立感染症研究所の「病原体検出マニュアル（令和2年3月19日）」では、判定するのにウイルスがたった10個程度存在すれば陽性となるようです。

これは、キャリー・マリス博士の論文査読を十分行わなかったＷＨＯの基本的なミスあるいは意図的な悪意ある意向の現われです。ＰＣＲ検査の不正利用をとがめたキャリー・マリス博士は、新型コロナ発生の３か月前に謎の死を遂げています。以下は朝日新聞の死亡記事です。

「わずかなＤＮＡを大量に複製するポリメラーゼ連鎖反応ＰＣＲ法を開発した米生化学者キャリー・マリス氏が7日、肺炎で亡くなった。74歳。米メディアが伝えた。米ノースカロライナ州生まれ。カリフォルニア大バークリー校で博士号を取得後、バイオベンチャー・シータス社勤務時代にＰＣＲ法を開発した。ＤＮＡの断片を短時間で大量に増やすことができるＰＣＲ法は、インフルエンザの診断など医療のみならず、ＤＮＡ型鑑定など犯罪捜査でも広く使われている。この功績で１９９３年のノーベル化学賞のほか、日本国際賞も受賞した」

Chapter 8

ワクチン反対で暗殺された国家元首たち

コロナ禍で口封じのために暗殺された免疫学を専門とする化学者たちは非常に多いです。WHOの命令に反対した7人の大統領のうち、5人が暗殺されたことをご存知でしょうか。

ハイチのジョブネル・モイーズ大統領（53）もハイチにはワクチンが不要と語っていましたが、その後、高度な訓練を受けた重武装集団の自宅襲撃で暗殺されました。

「コロナワクチンに反対の立場にいたこれらのアフリカの指導者たちは殺されたのか？」と書いています。

東アフリカ・タンザニアのジョン・マグフリ大統領（61）も同様です。彼は化学博士号取得者でＰＣＲ検査の不正を暴露していた知者です。大統領は、ＷＨＯのスタッフからＷＨＯのＰＣＲキットとＰＣＲの機械を受け取った時、ＷＨＯのスタッフに『よし、わかった。綿棒を貸してくれ』と言いました。

彼は、ＷＨＯスタッフの見ていない部屋で果物のパパイヤを綿棒で吸いました。また、アフリカン・クウェアという鳥から採取した綿棒も用意しました。人間ではない様々な生物、自動車のオイルも綿棒で吸い取りました。そして、それらの綿棒をＷＨＯスタッフに

持って行き、自分が綿棒を使ったことを伝えたのです。採取したサンプルには人の姓と名をつけ、30歳の女性から採取したものもあれば、45歳の男性の名前で採取したものもあると言いました。

ＷＨＯのスタッフが綿棒のサンプルをＰＣR装置に入れると、装置からは陽性との報告がありました。そこで、タンザニア大統領は「これはとても奇妙なことだ」と言いました。そして、ＷＨＯの人たちに、ＰＣＲキットを持って出国してくださいと言ったのです。そして、それを公表したのです。彼が撮影したビデオは世界中に広まりました。これは２０２０年のことです。パンデミックが始まってから3か月後のことです。

神がタンザニアを新型コロナから守っていると主張するタンザニア大統領はウイルスのワクチンは「危険」との見解を示しました。昨年の再選が論争の的となっているマグフリ氏は、一貫して新型ウイルスの深刻さを軽視しており、保健省に急いでワクチンを調達しないよう警告しています。マグフリ氏は国営テレビで放送された会合で、「われわれはこうした輸入ワクチンに細心の注意を払わなければならない」と指摘し、「新型コロナワクチンを開発できるのであれば、マラリアやがん、結核、エイズウイルスのワクチンだって今頃は開発されているだろう」「今、もてはやされているワクチン接種はわれわれの健康にとっては危険だ。保健省は全くもって急ぐべきではない」と続けました。

また、マグフリ氏は国内で新型ウイルスが広まっているかもしれないが、それはワクチンのせいだとも主張しています。一部のタンザニア人が国外でワクチンを接種し、「奇妙なコロナウイルスを持ち帰る羽目になった」と述べました。

マグフリ氏は言いました。「われわれは、この危険な病気との闘いにおいて、神を最優先しなければならない。だが、それと同時に予防措置を講じて、自身の身を守らなければならない」「われわれは、1年以上にわたり新型ウイルスに感染することなく暮らしてきた。ここにいる人の大半が、マスクを着用していないことがその証拠だ」

勇敢な発言ですが、その直後、ジョン・マグフリ大統領が2021年3月17日に旧首都ダルエスサラームの病院で心臓関連の合併症で死亡、享年61歳です。しかも、死後にはメディアが新型コロナ感染による死亡説を広く噂しました。

アフリカ・ブルンジのピエール・ンクルンジザ大統領も2020年6月8日に心不全で不審死。いずれもワクチンを拒んだ大統領たちです。

さらに、暗殺を逃れた大統領たちがいます。

マダガスカルのアンドリー・ラジョエリナ大統領は、新型コロナ対策を「個人的にはワクチン接種を受けるつもりはない」と表明し、マダガスカルの薬草が「私自身も、そして家族も守ってくれている」と主張しました。そして、WHOがマダガスカルの人々にワクチン接種するために7000万ドルを提供したと公言しました。すると発言の10日後に暗殺者たちがやって来て大統領は殺される寸前の体験をしました。

ベラルーシのアレクサンドル・ルカシェンコ大統領も、ＷＨＯのワクチン要請を拒み、襲われて危うく殺されかけました。

ワクチン推進派のバックには巨額の利権を持つ製薬会社と傘下の暗殺者たちがいます。メディアは、ワクチンを全面支持しますが、本当にその判断が正しいでしょうか？　そもそも暗殺してまで拡散しようとする新型コロナワクチン、背後に悪魔を感じませんか。悪魔から良いワクチンなんて出ません。

ＰＣＲ検査で陽性反応の判定を受けて、二週間ほど自宅療養していても、何の症状もなく退屈している人々もいます。味覚や嗅覚がなくなる、発熱、咳、倦怠感などそういった症状が一つもない。無症状・無症候と呼ばれる人々ですが、実は本当の感染ではない誤認が多いです。

イエス様は群衆に言われました。

ルカ12：54－57「あなたがたは、西に雲が起こるのを見るとすぐに、『にわか雨が来るぞ。』と言い、事実そのとおりになります。また南風が吹きだすと、『暑い日になるぞ。』と言い、事実そのとおりになります。偽善者たち。あなたがたは地や空の現象を見分けることを知りながら、どうして今のこの時代を見分けることができないのですか。また、なぜ自分から進んで、何が正しいかを判断しないのですか。」

アフリカ・チャドのイドリス・デビ大統領、エスワティニ王国のアンブロセ・ドラミニ首相、コートジボワールのハメド・バカヨコ首相など暗殺されたワクチン反対の国家元首たちは急増中で暗殺後、次期政権が、ワクチンを国民に提供しています。

Chapter 9

RNAワクチン発明者ロバート・マローン博士の言葉

「RNAワクチンの深刻な副作用は半年では顕在化しません。接種後、3年から9年後に明らかになるものです」

ロバート・マローン博士のこれらの驚愕発言内容を確認できる動画サイトは、現在はYouTubeから削除され真実が隠蔽されています。メディアでも緘口令(かんこうれい)が敷かれて、誰一人口にしません。いよいよ情報統制の管理社会が始まっています。

2021年8月4日、中日の木下選手がワクチン接種直後、危篤状態が続いてましたが、亡くなられました。この明らかにワクチンの危険性を叫ぶ重大ニュースも、大手メディアでは、とりあげられません。

マタ24：12－14「不法がはびこるので、多くの人たちの愛は冷たくなります。しかし、最後まで耐え忍ぶ者は救われます。この御国の福音は全世界に宣べ伝えられて、すべての国民にあかしされ、それから、終わりの日が来ます。」

黙示13：16－18「また、小さい者にも、大きい者にも、富んでいる者にも、貧しい者にも、自由人にも、奴隷にも、すべての人々にその右の手かその額かに、刻印を受けさせた。また、その刻印、すなわち、あの獣の名、またはその名の数字を持っている者以外は、だれも、買うことも、売ることもできないようにした。ここに知恵がある。思慮のある者はその獣の数字を数えなさい。その数字は人間をさしているからである。その数字は六百六十六である。」

フランスではすでに「ワクチン・パスポート」が採用され、これなしでは、飲食店や文化施設に入場できなくなっており、20万人以上の国民が反対デモを繰り返しています。聖書は、今後、獣の刻印なくして、一般のスーパーで食料品を購入することさえできなくなると預言しています。簡単に言うと、ワクチン接種と

「ひもずけ」された獣の刻印なくして、食べていけなくなるということです。最近イギリスでもワクチンを打ってない人はスーパーに行けず、接種していない人が接種した人に買い物を依頼している状況だそうです。

ですから今後、ワクチン接種は、日本でも実質上、強制にならないか懸念が残ります。YouTubeでは現在、厚労省の発表情報をもとに「ワクチンは強制ではない」と動画アップすると削除対象になります。

黙示録の「獣の刻印」＝「ワクチン」ではありませんが、ワクチン強制接種の世界的流れは獣の刻印を人類の右手か額に打つための「前兆」「予行」です。

本来の聖書の教えは、左手と額に666の獣の刻印ではなく、聖書の言葉を書いて、小さな箱に入れて、皮ひもで結びつける場所であり、いつも聖書の言葉を念頭に行動する象徴的な場所なのです。サタンはいつも聖書と正反対のことをして神様に反抗する我らの天敵です。

出13：9 「これ（聖書の言葉）をあなたの手の上のしるしとし、またあなたの額の上の記念としなさい。それは主のおしえがあなたの口にあるためであり、主が力強い御手で、あなたをエジプトから連れ出されたからである。」

Chapter 10

ワクチン同様、人の接種物に毒を入れることは罪であり、呪いです

和歌山地方には、なぜ、和歌山毒物カレー事件や、紀州のドン・ファン事件など毒殺に関する事件が多いのはなぜだろう。

和歌山は日本一の紀州梅の産地。梅には毒素を消す効能がありますが、皮肉なことにその和歌山に毒殺事件や毒による病気被害が歴史的に多いです。

昔、紀州藩には薬込役（くすりごめやく）という隠密任務の役人が暗躍しており、紀州藩の四男であった徳川吉宗が藩主になれたのも、後に将軍になれたのも、毒殺によるとの説があります。もともと毒殺とは縁のあった地方のようです。その時期に報復としての呪いの儀式がなかっただろうか？

少し趣は異なりますが、紀伊半島南部には「牟婁病（むろびょう）」という風土病があります。ALSのように筋萎縮が進行し、認知症やパーキンソン病と似通った症状が現れ、寝たきりとなり、多くの場合は誤嚥性肺炎や褥瘡といった合併症で亡くなります。また、現在のところ有効な治療法はありません。原因も未だ解明されていませんが、この地域には古代から水銀の鉱脈があったとされていることから、水に含まれる重金属が毒の原因とする説が提唱されています。飲料水は直接人体に摂取され、影響します。水と健康との関係は重要です。

聖書ではエリコの町に地域の飲料水にまつわる呪いがありました。

Ⅱ列王2：19－22　この町の人々がエリシャに言った。「あなたさまもご覧のとおり、この町は住むのには良いのですが、水が悪く、この土地は流産が多いのです。」するとエリシャは言った。「新しい皿に塩を盛って、私のところに持って来なさい。」人々は彼のところにそれを持って来た。エリシャは水の源のところに行って、塩をそこに投げ込んで言った。「主はこう仰せられる。『わたしはこの水をいやした。ここからは、もう、死も流産も起こらない。』」

こうして、水は良くなり、今日に至っている。エリシャが言ったことばのとおりである。

エリコの呪いは元来、再建してはならなかった町であり、ヨシュア将軍によってエリコ攻略の際、呪いがかけられた地域であり、その呪いの被害をまともに受けた人物もいます。

ヨシ6：26－27　ヨシュアは、そのとき、誓って言った。「この町エリコの再建を企てる者は、主の前にのろわれよ。その礎を据える者は長子を失い、その門を建てる者は末の子を失う。」主がヨシュアとともにおられたので、そのうわさは地にあまねく広まった。

ヨシュア将軍によってかけられた言葉の呪いの５００年後にベテル人ヒエルがエリコを再建し、災いを受けています。

I列王16：34　彼の時代に、ベテル人ヒエルがエリコを再建した。彼は、その礎を据えるとき、長子アビラムを失い、門を建てるとき、末の子セグブを失った。ヌンの子ヨシュアを通して語られた主のことばのとおりであった。

このような霊的背景を考えると、和歌山の毒にまつわる災いの数々も何か呪いの因果関係を感じます。しかし、解決策もあります。エリコの汚濁された毒水を飲める飲料水に水質変化させた奇蹟があるのです。それがエリシャが言った。「新しい皿に塩を盛って、私のところに持って来なさい。」です。水源に行って、塩をそこに投げ込めばいいのです。

この塩とは、イエス様が語られたように私たちクリスチャンを象徴しています。

マタ5：13　あなたがたは、地の塩です。もし塩が塩けをなくしたら、何によって塩けをつけるのでしょう。もう何の役にも立たず、外に捨てられて、人々に踏みつけられるだけです。

一致団結して、地域のために祈り、そこで礼拝するとき、地域の呪いは見事に打ち砕かれて祝福の泉に変わるのです。病める居住地域の救いのためにイエス・キリストの名前で祈りましょう。アダムが罪を犯した以降、全世界に入ってきた地域の土地に働く呪いを打ち砕くのが、町々に時代の見張り人として遣わされた私たちの使命です。

創3：17　また、アダムに仰せられた。「あなたが、妻の声に聞き従い、食べてはならないとわたしが命じておいた木から食べたので、土地は、あなたのゆえにのろわれてしまった。あなたは、一生、苦しんで食を得なければならない。

II歴代7：14　わたしの名を呼び求めているわたしの民がみずからへりくだり、祈りをささげ、わたしの顔を慕い求め、その悪い道から立ち返るなら、わたしが親しく天から聞いて、彼らの罪を赦し、彼らの地をいやそう。

Part

欺瞞だらけ!
何のための
マスクなのか!?

Chapter 11

子供マスクの危険性を説く神経生理学者（マスク不要論の根拠）

使23：1－2「パウロは議会を見つめて、こう言った。「兄弟たちよ。私は今日まで、全くきよい良心をもって、神の前に生活して来ました。」すると大祭司アナニヤは、パウロのそばに立っている者たちに、彼の口を打てと命じた。」

全くきよい良心をもって、今日まで頑張って生きて来たのに、悪者の権威筋の誤った命令によって私たちの口が打たれていないでしょうか？

日本では外出時はマスク着用が常識ですが、本当にこれが新型コロナ対策として有効であるのか、化学的にマスク不要論を唱える人々も多数います。

ＡＴＰ検査測定用ルミノメータを使用して使用済のマスクの表側、裏側の清潔度のチェックが行われました。実験結果では、数値が多いほど汚く、細菌が多い可能性があります。その結果は、

マスクの内側　８３９３
マスクの外側　６７０６
トイレの便座　１７９
階段の手すり　６３９
清掃前のオフィスの床　６２２１

なんと、長時間使用のマスクは細菌の温床となっていたのです。マスクがトイレや清掃前のオフィスの床より汚いという検査結果です。

そればかりかマスクをすると、鼻呼吸ではなく口呼吸になってしまい、口腔内が乾燥すると新型コロナやインフルエンザなどに感染しやすくなります。

マスクをしない普通の状態では、鼻呼吸するため、鼻毛がフィルターとなって雑菌侵入を防ぎます。鼻呼吸では、空気中の雑菌・ほこりなどの異物の大部分が

自然に濾過されます。

しかし、マスクにより口呼吸がメインに切り替わると鼻ほどのフィルター効果はなく、雑菌が奥深く侵入しやすくなります。口呼吸は、刺激物や異物を直接体内に吸い込んでしまうため、身体の免疫機能を直撃します。

新型コロナウイルスそのものは直径0・1マイクロメートルですが、普通のマスクの網目は、5マイクロメートルのため、50倍も大きいマスクの穴を簡単に擦り抜けてしまいます。

毎年来る花粉症の方が体験したようにスギ花粉は30マイクロメートルと、マスクの穴より6倍も大きいため有効でしたが、つまりマスク着用により花粉症に効果ありと、覚えていますが、この常識が通用しないのが微細なウイルスの世界なのです。逆に、花粉症＝マスク着用＝有効。この体験的な常識が対コロナ対策にもマスク有効と思わせてしまっているのです。しかし、現実には大きさがマスクの穴よりずっと小さい新型コロナウイルスは、市販のマスクでは侵入を防ぐことは出来ません！

N95マスク（Particulate Respirator Type N95）というアメリカ合衆国労働安全衛生研究所のN95規格をクリアし、認可された微粒子用マスクでも完全に防ぐことは出来ません。本当にウイルス侵入を防ぐためには、映画で見るような「防護マスク」と「ゴーグル」をつける必要があります。ほぼ実生活では不可能です。マスク徹底より、免疫力を高めることが大事です。

イザヤ2：22「鼻で息をする人間をたよりにするな。そんな者に、何の値うちがあろうか。」

口呼吸ではなく、鼻呼吸が人間本来の正常的な姿であり、聖書的です。

創2：7「神である主は、土地のちりで人を形造り、その鼻にいのちの息を吹き込まれた。そこで、人は生きものとなった。」

アダムの口ではなく、鼻に命の息を神様は吹き込みました。息を吸い込む鼻呼吸は大事です。鼻が命のライフラインなのです。

ドイツの神経生理学者マーガレット・グリーズブリッソン博士は訴えています。「マスク着用により、自分の吐いた空気を再吸収すれば、間違いなく酸素不足と二酸化炭素の洪水が発生します。人体は、脳が酸素不足に非常に敏感であることを知っています。

例えば、海馬は酸素がなくなると、3分以上は生きられない神経細胞があります。人体からの急性の『警告』としては頭痛、眠気、めまい、集中力の低下、反応時間の低下、認知の低下などがあります。しかし、慢性的な酸素欠乏に移ると、それらの症状は全て消えてしまいます。全ての警告である症状が消えても、脳内の酸素不足は進行し続けます。恐ろしいことに、神経変性疾患は発症するまでに、数年から数十年かかることが判っています。

第2の問題は、低酸素になるため、脳内の神経細胞が正常に分裂できないことです。たとえ数か月後に充分に酸素を吸えるようになったとしても失われた神経細胞は、二度と再生されません。酸素欠乏は、脳にとって危険です。

ウイルスから身を守るために、効果が疑わしいマスクを着用するのは個人の自由ですが、その責任は個人が負うことになります。判断ができる成人であれば、自己責任で終わりますが、乳幼児や小中学生はその判断ができないでしょう。親や周りの人間が、マスク着用を押し付けるのは、危険です。乳幼児や思春期の子供は、非常に活発で適応性の高い免疫システムを持っていて地球のウイルスなどの微生物との絶え間ない相互作用を必要としています。

脳の発育段階にある子供の脳は、より多くの酸素を必要としています。

新陳代謝が活発な器官であればあるほど、より多くの酸素を必要とします。脳は、その最たるものです。脳の発育段階にある子供の脳から酸素を奪ったり、何らかの方法で制限することは健康を害するだけではなく、犯罪行為です。

酸素欠乏は脳の発達を阻害します。その結果として生じた脳のダメージは元に戻すことができません。壊れた脳細胞は再生しません」

米ブラウン大の研究結果によると米東部ロードアイランド州で生まれた幼児672人を対象に行われた研究で、パンデミック以前に生まれた3か月－3歳の幼児の平均ＩＱは100前後、これがパンデミック期間に生まれた幼児の平均ＩＱは78と報じました。幼児は発達障害なく生まれた白人が大半ですが、全般的な認知能力が顕著に低下しています。

生後数年間は認知発達に非常に重要な時期ですが、新型コロナのため保育施設や学校が閉鎖され、親は在宅勤務で仕事と育児を併行したことで、幼児が受ける刺激が大きく減少したことが主な原因と分析され、特に社会的・経済的脆弱層の家庭の幼児はさらに低いＩＱ数値でした。

不要不急の外出を控えるよう促す巣籠(すごもり)生活は、乳児にとって家の中で認知的刺激が制限され、外部の世界と断絶した結果、長期的にいかなる影響を及ぼすかは不確かな不安材料となっています。

サイトで見つけた赤ちゃん用マスク！　デザイン可愛く熊さんが描いています。

パッケージには「1歳6か月から事前にできるおうちケア　はじめてのマスク　1才半からのちっちゃいマスク　ぜーんぶやわらか素材」ですって、こんな偶像は作るな、売るな、使うな！　末恐ろしい殺人兵器ではないか。

ドイツのハンブルク環境研究所所長マイケル・ブラウンガルト教授は、口呼吸による酸欠問題だけでなく、マスク素材そのものに対する危険性を指摘しました。

「長時間のマスク着用で、マスクに混入する有害な化学物質を吸入しています」

「繊維製及び不識布製のサージカルマスクを長時間着用すると潜在的に発がん性物質やアレルゲン・微小な合成マイクロファイバーを肺の奥深くに吸い込む危険性がある」

サージカルフェイスマスクとは、私たちが一番多く使用する開くと立体的構造になる普通の使い捨てマスクのことです。

繊維化学者ディーター・セドラック博士も長期的なマスク着用による潜在的な化学物質のリスクについて警告しています。

「有害なフルオロカーボン、ホルムアルデヒド、その他の発ガン性物質の濃度が、サージカルフェイスマスクの着用で上昇している」

サージカルフェイスマスクを長く使うと唾で解けて苦く感じないでしょうか？特にカラーが付いたマスク。マスク素材の発がん性物質まで考えると使い捨てサージカルフェイスマスクより、政府が配ったダサい洗える布やガーゼのマスクのほうがいいでしょうか。

使い捨てサージカルフェイスマスクより高価でおしゃれな洗えるウレタンマスクもあります。理化学研究所が発表したスーパーコンピューター「富岳」によるマスク素材ごとの飛沫防止効果のシミュレーション結果では、吐き出し飛沫量は、ウレタンマスクより安い使い捨てサージカルフェイスマスクのほうが少なく、防御効果が高いそうです。３Ｄ構造で耳にやさしくおしゃれだけど性能が低いとのこと。

ヤコブ３：３「馬を御するために、くつわをその口にかけると、馬のからだ全体を引き回すことができます。」

人間は馬ではありませんが、口に何をかけるかによって、身体全体にまで影響を及ぼすということは同じことが言えます。マスク着用が想像以上に身体機能全体に悪影響を及ぼしているとしたならば、考えものです。そもそも神様は人間を御自身の形に似せて優れたものとして創造されました。ですから、免疫力は高く、ワクチンやマスク着用よりも、太陽光のもと、体を鍛えて免疫力を高めることこそ、わが身を守る最大の防御ではないでしょうか。そして毎日お祈りして、「父なる神様。私達を悪しきものなるウイルスから今日もお守りください。イエス・キリストの名前で祈ります。アーメン」と言うべきです。

ぜひ、以下の「主の祈り」を声に出して毎日、祈ることをお勧めします。

「天にまします我らの父よ。
願わくは御名をあがめさせたまえ。
御国を来たらせたまえ。
みこころの天になるごとく、地にもなさせたまえ。
我らの日用の糧を今日も与えたまえ。
我らに罪を犯すものを我らが赦すごとく、我らの罪をも赦したまえ。
我らを試みにあわせず、悪より救いいだしたまえ。
国と力と栄えとは、限りなく汝のものなればなり。アーメン。」

神様が守ってくださる保護は一番強いです。

イザ43：1－5　「あなたを造り出した方、主はこう仰せられる。イスラエルよ。あなたを形造った方、主はこう仰せられる。「恐れるな。わたしがあなたを贖ったのだ。わたしはあなたの名を呼んだ。あなたはわたしのもの。あなたが水の中を過ぎるときも、わたしはあなたとともにおり、川を渡るときも、あなたは押し流されない。火の中を歩いても、あなたは焼かれず、炎はあなたに燃えつかない。わたしが、あなたの神、主、イスラエルの聖なる者、あなたの救い主であるからだ。わたしは、エジプトをあなたの身代金とし、クシュとセバをあなたの代わりとする。わたしの目には、あなたは高価で尊い。わたしはあなたを愛している。だからわたしは人をあなたの代わりにし、国民をあなたのいのちの代わりにするのだ。恐れるな。わたしがあなたとともにいるからだ。」

Chapter 12

世界規模の騙し事が起きる預言

危険に思うことは新型コロナや他の病気にやられ衰弱した人たちが同調圧力の中で我慢しながらマスクを着けて職場や自宅謹慎で耐えている時です。発病なら早く保健所通報と緊急外来でマスクから呼吸器吸入に変えるべきです。

聖書でアラムの王ベン・ハダデが病気になったので、預言者エリシャの所に神様の御心を求めて使者ハザエルを送った時、エリシャは預言して言いました。

II列王8：10－15「行って、『あなたは必ず直る』と彼に告げなさい。しかし、主は私に、彼が必ず死ぬことも示された。」神の人は、彼が恥じるほど、じっと彼を見つめ、そして泣き出したので、ハザエルは尋ねた。「あなたさまは、なぜ泣くのですか。」エリシャは答えた。「私は、あなたがイスラエルの人々に害を加えようとしていることを知っているからだ。あなたは、彼らの要塞に火を放ち、その若い男たちを剣で切り殺し、幼子たちを八裂にし、妊婦たちを切り裂くだろう。」ハザエルは言った。「しもべは犬にすぎないのに、どうして、そんなだいそれたことができましょう。」しかし、エリシャは言った。「主は私に、あなたがアラムの王になると、示されたのだ。」彼はエリシャのもとを去り、自分の主君のところに帰った。王が彼に、「エリシャはあなたに何と言ったか。」と尋ねると、彼は、「あなたは必ず直る、と彼は言いました」と答えた。しかし、翌日、ハザエルは毛布を取って、それを水に浸し、王の顔にかぶせたので、王は死んだ。こうして、ハザエルは彼に代わって王となった。」

病気で衰弱しきったアラムの王ベン・ハダデにとって、水に浸されて重くなった毛布を王の顔にかぶせられただけで、呼吸困難から暗殺されたのです。

新型コロナや他の病気で衰弱しながら、マスクを死守して、マスク内では唾液で蒸れて、通気性が悪く、水分で重くなった、まるで毛布のようなマスクが呼吸器官を塞いで、酸欠の呼吸困難で死んだら大変です。日本人は特に個性重視より、全体重視で、同調圧力に弱いです。国民全体が、我慢強いから従順にマスク着用ゆえ猛暑の中、弱体化していないでしょうか。少なくとも人混みでもない道を歩く時、車内で一人運転する時、そこまでマスクが必要でしょうか？

新鮮空気の大切さ　エデンにも吹いていたそよ風

病人に酸素マスクを投与するのは聖書的です。アスリートの癒しや、ケガからの早期回復、熟睡のためにも、高濃度酸素カプセルの普及など優れたシステムがあります。しかし、優勝候補のアスリートはあえて標高が高い山中で長期合宿生活をして、低酸素の過酷な試練の環境に慣れるよう努力して心肺を鍛えます。すると、通常の平地の一般会場で、いざ本番の際は鍛えられた心肺が強じんな身体能力となって現れ、好成績を出せるのです。なんでも無菌状態の抗菌・除菌だけでは大事な免疫システムが育たないのです。

創1：7「神は大空を造り、大空の下にある水と、大空の上にある水とを区別された。するとそのようになった。」

創3：8「そよ風の吹くころ、彼らは園を歩き回られる神である主の声を聞いた。それで人とその妻は、神である主の御顔を避けて園の木の間に身を隠した。」

世界が創られた当初は、大空の下の水なる海と、大空の上の水なる原始水蒸気大気という分かれた水の2層がありました。

上の層はちょうどビニールハウスのビニールのように植物、動物、人間も長寿で巨大化させるのに都合よく、大量に浴びると宇宙飛行士でも癌になる銀河宇宙線、放射線・放射能・放射性物質、紫外線、赤外線、ガンマ線、X線、UVなどの有害電磁波をしゃへいしていた大切な保護目的の水の層でした。

これがノアの時代、はじけた大洪水の大雨となり、失われ、大気圧さえも半分くらいに落ちました。すべての生き物が短命化、縮小化したのですが、不可視な大気の影響はとても大きかったのです。創世当初は今よりもっと清くて高濃度酸素だったはずです。今の世界はまるで廃墟のようです。

当時は新鮮酸素を大量放出する巨木レバノン杉なども多数ありました。それは、こずえが雲の中までそびえる巨木で、現在ではデビルスマウンテンのように残骸の根株だけ世界中に残っています。巨人ネフィリムが切った巨木レバノン杉の根株部分は一般的に頂上が平らなそそり立つ山だと思われています。

大空の上の水がなくなった結果、高濃度酸素の世界から低濃度酸素の世界に変わると生物は短命、縮小したことは重大な変化です。以前、高濃度酸素供給で育てられた魚が通常より早く大きく育った研究結果を見たことがありますが、人間もマスクの長年着用が退化までは行かなくとも不健康を招くのは避けられないです。

エデン回復法として元々あった大空の上の水からのヒント。これは私の半分冗談の自論ですが、エデンの園にあった長寿と健康を回復する方法は、平らな屋根なら屋上にプール設置で大空の上の水を再現。民家なら屋根裏に水入れた大きな密封ビニールシートの膜を広げることで宇宙から飛来する各種の有害物質を防いで安全・安心。一方、室内では、高濃度酸素の機械を買って24時間そよ風で大放出。植物も増やして、太陽光も導入、動物たちも…。

マスクと健康

病人が危うい時、口や鼻に酸素吸入器を着けます。

酸素マスク（高濃度酸素）→　延命措置　元気回復。

持病やアレルギーある病人の口や鼻にマスクを着ける。（低酸素）→　呼吸困難　短命措置　元気喪失。

子供の口や鼻にマスクを着ける。（低酸素）→　呼吸困難　ＩＱ低下　発育不全マスク着用で猛暑の運動会など考えられないことです。

新型コロナのパンデミックの初期に、感染拡大を抑えるために中国とヨーロッパで取られたロックダウン都市封鎖措置により、移動抑制や消費活動を自粛しましたが、工場停止で排煙による大気汚染が無くなって空気が改善され、結果、健康に有益な影響を及ぼして数万人もの命が救われたという研究結果が米ノートルダム大学で報告されました。インドでも同様にコロナ禍で大気汚染レベルが大幅低下しました。空気は重要な健康要素です。

ワクチン死者について

厚労省の死亡報告は因果関係が特定できた死者だけです。ワクチン接種4日目までがカウントされ、5日目以降の死者はカウントしません。実際にはコロナ患者の自殺や、ワクチン接種者が排菌した変異株による血栓系ワクチンで発症した持病合併死者、因果関係を曖昧にする遅延殺人とも言うべき5日目以降の死者も入れれば、発表統計の累計数10倍以上と考えられます。

Part

神への反逆！ワクチンの恐るべき目的はこれだ！

Chapter 13

いなごの大量発生
遺伝子組み換え生物化学兵器

黙9：7－10「そのいなごの形は、出陣の用意の整った馬に似ていた。頭に金の冠のようなものを着け、顔は人間の顔のようであった。また女の髪のような毛があり、歯は、ししの歯のようであった。また、鉄の胸当てのような胸当てを着け、その翼の音は、多くの馬に引かれた戦車が、戦いに馳せつけるときの響きのようであった。そのうえ彼らは、さそりのような尾と針とを持っており、尾には、五か月間人間に害を加える力があった。」

やがて現れる生物化学兵器の遺伝子組み換えいなごは、さそりのような尾と針とを持って人を刺し毒注入で攻撃します。預言では、馬と人間女性と獅子とさそりの4種類を掛け合わせていなごの卵細胞に核として挿入した遺伝子組み換えの人面変態いなごです。これがまさにワクチン同様襲ってきて強制的に痛い筋肉注射をします。この生物化学兵器の遺伝子組み換えいなごが、今の時は、生物化学兵器の遺伝子組み換えワクチンです。尾の針で人を刺して毒接種で解毒まで5か月間苦しめます。しかし、黙示録では、このいなごはクリスチャンには無害であると書かれています。それは近い将来必ず起きる人災預言です。

終末期には、世界規模の騙し事が起きることも聖書は預言します。全ての人が惑わされるレベルの大きな陰謀です。その一つがコロナ茶番劇とワクチンビジネスの大本営発表です。黙示録には「すべての国々の民が」「魔術にだまされていた」と書いています。

黙18：23「ともしびの光は、もうおまえのうちに輝かなくなる。花婿、花嫁の声も、もうおまえのうちに聞かれなくなる。なぜなら、おまえの商人たちは地上の力ある者どもで、すべての国々の民がおまえの魔術にだまされていたからだ。」

ワクチンは振動NGで、超低温で保存が必要とされたマイナス75度の縛りがおかしなことになくなりました。徐々に子供まで接種枠が広がりました。厚労省の「ワクチン分科会副反応検討部会」と「安全対策調査会」の構成メンバーが、製薬会社のファイザー、アストラゼネカ、アステラスなどから大金を受け取っていたことが判明しています。

Chapter 14

「豚の血と捧げ物」か⁉ ワクチンは聖書にある

昔、シリア出身の王アンティコス・エピファネスという暴君がいました。彼は、本来、純粋な清い動物のいけにえだけが捧げられる神様への祭壇上に、偶像を持ち込んで汚れた豚の血を捧げました。そしてイスラエルを7年間踏みにじり、反発する多くのユダヤ人を大量虐殺しました。将来の反キリスト台頭もこのシリア出身の王アンティコス・エピファネスの再来のように行動します。そしてこの独裁者は666刻印をすべての人に強制します。

ＦＯＸニュース「どうもファイザーの注射はデルタ株に効かないようです。今朝入ったイスラエルからのデータで人口の84％がワクチンを打っていますが、コ

ロナの陽性の84%がワクチンを打った人です。私たちは事実を知らされる必要があります」

イスラエル政府の接種率が高いのは製薬会社と情報提供の契約を結んでいるから全国民がワクチンの治験者であり、接種者情報のデータを送っています。

しかし、日本と同じファイザーのワクチンはデルタ株に効かないと言ってますね。

Chapter 15

聖書の疫病解決策に学ぶときは、今！

万一ですが、新型コロナの毒にやられても神様には癒しがあります。

Ⅱ列王４：38－41　「エリシャがギルガルに帰って来たとき、この地にききんがあった。預言者のともがらが彼の前にすわっていたので、彼は若い者に命じた。「大きなかまを火にかけ、預言者のともがらのために、煮物を作りなさい。」彼らのひとりが食用の草を摘みに野に出て行くと、野生のつる草を見つけたので、そのつるから野生のうりを前掛けにいっぱい取って、帰って来た。そして、彼は煮物のかまの中にそれを切り込んだ。彼らはそれが何であるか知らなかったからである。彼らはみなに食べさせようとして、これをよそった。みながその煮物を口にするや、叫んで言った。「神の人よ。かまの中に毒が入っています。」彼らは食べることができなかった。エリシャは言った。「では、麦粉を持って来なさい。」彼はそれをかまに投げ入れて言った。「これをよそって、この人たちに食べさせなさい。」その時にはもう、かまの中には悪い物はなくなっていた。」

ここに出てくる癒しの材料、麦粉＝イエス様の純白で繊細な品性を象徴しています。イエス様を信じて受け入れることでワクチン毒やウイルスからの癒しがあることを、この解毒の奇蹟の出来事は表現していました。疫病は長く続く呪いです。

申28：58－61「もし、あなたが、この光栄ある恐るべき御名、あなたの神、主を恐れて、この書物に書かれてあるこのみおしえのすべてのことばを守り行わないなら、主は、あなたへの災害、あなたの子孫への災害を下される。大きな長く続く災害、長く続く悪性の病気である。主は、あなたが恐れたエジプトのあらゆる病気をあなたにもたらされる。それはあなたにまといつこう。主は、このみおしえの書にしるされていない、あらゆる病気、あらゆる災害をもあなたの上に臨ませ、ついにはあなたは根絶やしにされる。」

Chapter 16

ワクチンの語源はVacca（ワッカ＝メス牛）！

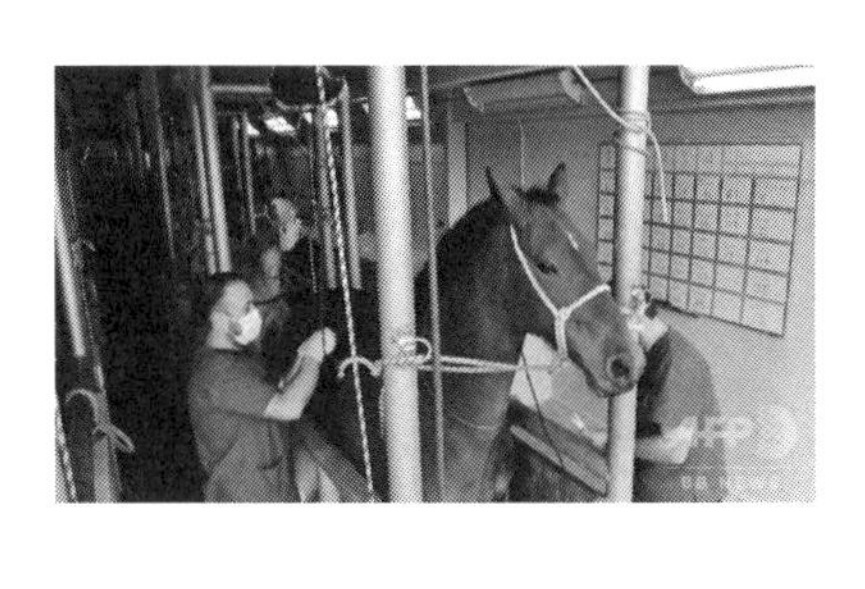

ワクチンという名称は、ラテン語のVacca（ワッカ＝メス牛）に由来しています。世界初のワクチンである天然痘ワクチンがメス牛から取られたため、この名がつけられました。田舎の開業医ジェンナーが、乳搾りをして牛と接することによって自然に牛痘ウイルスにかかった人間は、その後天然痘にかからないという農民の言い伝えを聞きました。天然痘に比べると、牛痘ははるかに死亡率の低い安全な病気。ジェンナーはこれが天然痘予防に使えないかと、使用人の子ジェームズ・フィリップス8歳に牛痘を接種し

ました。少年は若干の発熱と不快感を訴えましたが、深刻な症状はありませんでした。そして天然痘を接種しましたが、６週間たっても少年は天然痘にはかからず、牛痘による天然痘予防法が成功しました。しかし、無学な一部の町村では、牛痘を接種すると牛になると言われたため、接種を「神の乗った牛の聖なる液」と説明したそうです。その後の天然痘の大流行を機に急速普及し、彼は「近代免疫学の父」と呼ばれ、１９８０年には天然痘の根絶が宣言されました。

現在、中米コスタリカの研究所が、馬の血しょう抗体を用いた新型コロナ感染症薬の開発を進めてます。コスタリカ大学研究所は、中国と英国の研究所から入手した新型コロナのタンパク質を、馬6頭に接種。後に馬の体内で発生し、血しょう中に含まれる抗体を回収。研究員によると、患者数百人を対象にした治験の第3段階を終え、この治療薬は「特に深刻な症状には至っておらず、体内のウイルス量が多過ぎない」罹患初期の患者に投与される予定です。

人間より強い馬のような動物が先に注射で新型コロナを打たれて苦しみもがき、

後に回復した時、動物にはコロナに打ち勝った勝利の抗体ができています。打ち勝った抗体を取り出して精製し、これを人間に投与すれば、それはすでにウイルスに打ち勝った血清であり、その力で私たちもコロナに勝てます。それが本来のワクチン療法です。同様に既に悪魔に打ち勝った罪なき小羊のようなキリストの尊い血を受け入れる時、私たちは弱くてもイエス様の勝利の血の力で悪魔に勝てます。イエス様の血の力を信じて受け入れると、神様の子となり、呪いを砕き、悪魔に勝つことができます。呪いを砕く特効薬はイエス様の血潮です。

Ⅰペテ1：18－20　ご承知のように、あなたがたが先祖から伝わったむなしい生き方から贖い出されたのは、銀や金のような朽ちる物にはよらず、傷もなく汚れもない小羊のようなキリストの、尊い血によったのです。キリストは、世の始まる前から知られていましたが、この終わりの時に、あなたがたのために、現われてくださいました。

Chapter 17

過激なワクチン接種をあおる報道と集団心理の応用

３１１直後の震災混乱期に災害映像に交じって無関係なＡＣ機構のＣＭ、子宮けいがんワクチン接種を盛んに呼びかける報道を流していたのを覚えていますか？　しばらくすると、接種した女子たちに異変が起き、親、医師、議員らが立ち上がり、全国子宮けいがんワクチン被害者連絡会を開設しました。

人は心理学的に天災や経済恐慌や大事故など、想定外の大異変が起きた時、現状を受け入れる処理能力が追い付かず、通常では行わないような異常行動を盲目的に行ってしまう集団心理があるそうです。そのような大惨事の社会的パニック時に外部から繰り返し同じ情報が与えられると、何でも言われた通りに信じて依存してしまう傾向があるそうです。その集団心理を逆手に取ったのが、３１１東日本大震災直後に繰り返しテレビ放送されたＡＣの子宮頸がんワクチンのＣＭでした。

　震災と全く無関係のがん検診への勧めはマインドコントロールの広報実験です。結果、その洗脳ＣＭに影響された多くの若い女性たちが水銀大量含有のワクチンを盲目的に信じて受け、接種後、重篤症状が表れ出しました。

「全国子宮頸がんワクチン被害者連絡会」なる救済組織ができるほど広範囲の被害者たち、その副作用は、

「不随意運動、突然意識を失う解離、しまいには母親のことさえわからなくなる記憶障害を引き起こす。このほかにも、痙攣、硬直、視覚障害、眼振、味覚障害、化学物質過敏、歩行困難、呼吸困難、嚥下障害など、挙げだしたらキリがないです」

有事の混乱期に人は勧められたものを容易に受け入れる変な深層心理が働きます。これを身近に悪用したのが、プレゼント商法であり、空きテナントを短期契約で借りて高齢者たちを集め、集会の中で笑わせ、価値のないプレゼントを客に次々と無料（ただ）で与え続けて、最後は高額なインチキ商品を買わせるという手口です。プレゼントをたくさんもらうから、得した気分で心が浮きたち、正常な判断能力を失う時、人は過ちを犯しやすいです。災害有事や通常ではない心理状況の時、要注意です。後で落ち着いたら後悔。なぜこんな高価不要品をローンまで組んで買ったのか？　巧妙な話術とその場の雰囲気。同調圧力のような偽りの気運のせいです。

今回も、３１１の時のような新型コロナ騒動で混乱期に乗じて針を腕に指す異常な接種映像を盛んに流し、著名人の感染や死亡などはことさらに大きく取り上げ、如何に新型コロナが恐ろしいかを吹き込んで、間髪いれず即ワクチン推奨報道です。前回３１１と同じパターンなら、同様に気の毒な被害者連絡会が後になって開設されるでしょう。被害者を多数出してから騒いでも遅いのです。

Chapter 18

大村博士のイベルメクチンが封印されている理由は
WHOへの大手製薬会社の巨額寄付

従来のワクチンは希釈、弱毒化したものですが、今回のは、遺伝子工学的手法でメッセンジャーRNAと呼ばれ、直接、人のゲノムの核にワクチンを入れるもので、副反応、副作用、後遺症の有無が分からない生物兵器と同じレベルの製造技術による人体実験です。一度打ったら絶対元に戻せない。危険すぎるから、デング熱、エイズ、マーズ、サーズの時も研究開発が凍結されたものです。

ノーベル生理学賞受賞の北里大学特別栄誉教授、大村智博士は「1年以内のワクチン開発はありえない。治験や臨床で少なくとも10－15年はかかる」と警告。大村博士が開発したイベルメクチンは、本来は抗寄生虫薬で、アフリカの数多の人々を病から救ってきました。その薬が新型コロナ治療薬として効果を挙げた報告が、海外で相次いでいます。

イベルメクチンが新型コロナ感染症に対して効果がないと主張する人たちも多数います。それには、世界保健機関（WHO）がイベルメクチンについて否定的な立場を貫いていることが影響しています。WHOは「証拠が非常に不確実」「いかなる患者にも使用すべきではない」と声明発表。

製薬会社や大学による数千人単位の大規模な臨床試験がまだ実施されていないからだといいます。

しかし大村博士は冷静にこう答えます。

「現在、公表されている治験の結果は、患者にイベルメクチンを投与した医療現場の臨床をもとにしたものがほとんどです。だから、一つ一つの治験の対象人数が少ないのは確かです。でも、それを全体として見れば、すでに相当数の人に治験が行われていることになる。そのうえ有能かつ経験豊富なFLCCやBIRDの医師たちが、臨床試験を科学的にメタ解析した結果、効果があると明言したのです。それでもＷＨＯは認めない、というわけです」

そこにはＷＨＯの汚染体質が絡んでいます。

ＮＹタイムズの看板ジャーナリスト、マイケル・カプーゾは、ピュリツァー賞候補に何度もなった優秀な記者でこう言います。

「ＷＨＯは大手の製薬会社などから寄付をもらっている。だからＷＨＯは公立ではなく私設と言い換えたほうがいい」

大手製薬会社は今、イベルメクチンに代わる治療薬を必死に開発しています。それで特許を取り、利益を上げようとしているからイベルメクチンの有効性を認めるわけにはいかないのです。

彼の記事はさまざまなデータを丹念に解読して書かれています。ＷＨＯは5月、インド弁護士会から警告書を送付されています。ＷＨＯの指針に従い、インドでイベルメクチンの投与をしなかった州の感染者が、劇的に増えたからです。

イザ43：1－5 「恐れるな。わたしがあなたを贖ったのだ。わたしはあなたの名を呼んだ。あなたはわたしのもの。あなたが水の中を過ぎるときも、わたしはあなたとともにおり、川を渡るときも、あなたは押し流されない。火の中を歩いても、あなたは焼かれず、炎はあなたに燃えつかない。わたしが、あなたの神、主、イスラエルの聖なる者、あなたの救い主であるからだ。わたしは、エジプトをあなたの身代金とし、クシュとセバをあなたの代わりとする。わたしの目には、あなたは高価で尊い。わたしはあなたを愛している。だからわたしは人をあなたの代わりにし、国民をあなたのいのちの代わりにするのだ。恐れるな。わたしがあなたとともにいるからだ。」

「日本には中国パンデミックの際、大勢を癒した実績あるアビガンも世界が認めるイベルメクチンもあります。だからアメリカ、イギリスの新型ワクチンはいらないです」

どうして日本の政治家はアメリカ政府に向かってその勇気ある一言が言えないのでしょうか！　情けない。それどころか、益々自分から奴隷になっています。

アメリカの穀物農家は、日本に送る小麦には、発がん性に加え、腸内細菌を殺してしまうことで、さまざまな疾患を誘発する懸念が指摘されているグリホサートを、雑草ではなく麦に直接散布しています。収穫時に雨に降られると小麦が発芽してしまうので、先に除草剤で枯らせて収穫します。枯らして収穫し、輸送する時には、日本では収穫後の散布が禁止されている農薬イマザリルなどの防カビ剤を噴霧しているのです。

「これはジャップが食べる分だからいいのだ」とアメリカの穀物農家が言っていたとの証言が、アメリカへ研修に行った日本の農家の複数の方から得られています。

ＥＵをはじめ世界が危険なグリホサートの使用を減らすよう輸入制限している流れに逆行して日本だけが輸入を増加しています。結果、アメリカの輸入穀物に残留した恐ろしいグリホサートを、日本人が世界で一番たくさん摂取しています。しかも、アメリカで使用量が増えているので、日本人には小麦のグリホサートの摂取限界値を6倍に緩めるよう要請され、日本政府はなんと！　２０１７年12月25日に、「クリスマス・プレゼント」と称してカッコつけて緩めてしまったのです！　売国奴政治家たち、なんと愚かなことか！

最新情報では、イベルメクチンのオリジナルメーカーであるメルク社が、現在、偽物のイベルメクチンを製造しています。それは癌を引き起こす成分であると20年の製薬業界の専門家ジェーン・ルビー博士は指摘します。もはやジェネリックしかないのか？

Chapter 19

ワクチン接種者は、即見分けられるという陰謀！

ワクチン接種で帯電した体は、どうなるのでしょう。なんとファイザー製ワクチンは5Gに接続されます。モデルナ製ワクチンはBluetoothに接続されます。そしてアストロゼネカ製ワクチンはWi-Fiに接続されるのです。このような人々を動画映像で確認しました。

簡単な実験としては接続を受けた直後では、電球に光が点きます。軽い鉄や磁石が皮膚に吸い付きます。ブラックライトで接種した腕を照らしたら、黒い光の下でベキセドグローの静脈が浮き立って見えます。こんなところが有名な動画です。これには目的があるのです。それは一見して接種者を識別するため、以外の何ものでもありません。

ノースカロライナ周辺で白い街灯に交じって、青の街灯が増えました。当初は故障と住民には思われましたが、あまりに青の街灯が多い。やがて下を通過すると静脈が浮き立った！

以下はＦＯＸニューススタジオの動画の要約、翻訳です。

Black Lights Are Now In Street Lights In Some Cities The Veins Of The Vexed Glow Under Black Light...

金髪女性
「これから私がお伝えすることはあまりにも恐ろしくて、この動画をつくらなくてはならないと思いました。最近街灯がブラックライトに変わっているのをお気付きでしょうか？」

FOXニューススタジオのジェイソン
「街灯が紫色がかってきているけど、これは意図的なものではないよね？」

FOXニュースのブレット（現地リポーター）
「おはようジェイソン。そう、これは意図的なものではないです。もう明るくなってきているけど、あのマンションの前の街灯が紫色がかっているのが分かりますよね？　グーグルで調べたらブラックライトは皮膚には良いと書いてあるけど歩行者でなく運転中には関係ないので、どうしてこうなったのか電力会社（デューク社）に訊ねてみたところ、これはある種の欠陥で、現時点ではセントラルからノースカロライナ周辺で数千本の街灯にこの現象が起きていて、全体の１・４

%の街灯が紫色に変わってるとのことでした。そして、この珍しい色の街灯をいくつ見つけられるかで街の人たちが競い合ったりしてます」

レポート内のサングラスの女性
「最近チャールセンから引っ越して来たばかりなんですけど、私は直ぐにこの街灯の色に気づいたわ。だって明らかにヘンですもの。もちろん私は全部の街灯を見つけられるわ！（笑）」

現地リポーターのブレット
「この電力会社によると、紫色の街灯のＬＥＤメーカーは全て同じ１社の製品ということなんですが、ノースカロライナ以外の全土のあらゆる地域でも同じ現象が報告されているので、人々に紫色の街灯を見たら連絡してもらっているようです。街灯のＬＥＤの設置時には普通に白い光なのですが、徐々に数か月で紫色に変化するとのことです」

（ちなみにＦＯＸニュースのＦＯＸは６６６です）

金髪女性
「そして、ワクチンを打った男性の腕がブラックライトで光るっていう動画が最近削除されているのに気づきましたか？」

消された動画の接種者男性
「ブラックライトでワクチン打った俺の血管が光るんだぜ！　マジで狂ってるぜ。なんでこんなことになってるのか誰か教えてくれよ。そして、見てよ、腕のここの部分。ドンピシャここ（上腕部の光る固まりの部分）にワクチン打ったんだ！」

母親と娘の親子の別の動画
「あら、ここのワクチンを打った腕の中で血管が光ってる！　何がワクチンに入ってるのかしら？　打たないほうがよかったかな」

金髪女性
「こうやってブラックライトで誰がワクチン受けて誰が未接種かを彼らは区別するってことなのよ」
以上。

これらの事実を前に、コミナティー（ファイザーの新型コロナウイルスワクチン）のルシフェラーゼ反応、ただの副作用だと、楽観的に笑って見過ごせないです！　コミナティーのルシフェラーゼじゃなくて、イルミナティのルシファーの仕業なのです！　わざとワクチンを組織にとって大事な類似の呼び名にしています。同調圧力で職場の皆が受けているとか、教会の牧師が進めているとか、最悪、ワクチン・パスポートがないと経済活動が困難など、試練が起きています。この災いの最終目標は、666の刻印です。すでにビル・ゲイツは特許認可で準備しています。ビル・ゲイツ率いるマイクロソフトが3月26日に発行した特許番号は「WO／2020／060606」です。

聖書の言葉を宗教と思わないで、ぜひ心に留めてください。善人も悪人もすべての人が最後には神様の前に立たされる時が来るのですから。あなたはイエス様を信じて守られます。

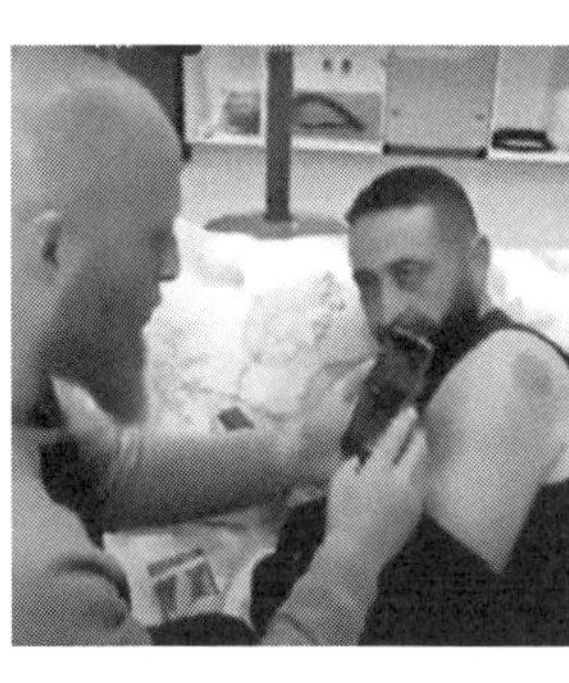

スマホで接種者をスキャンすると、スマホがピッと番号を表示する場面。

ワクチンに極小のＲＦＩＤタグが入っていて、ＮＦＣ機能が付いた携帯で、ＲＦＩＤリーダーを使用すると認識されるようです。ＲＦＩＤタグとして、体内に磁性ナノ粒子が注入されるわけですが、それらは磁気テープのように、データが読み書きできるようです。あるパイロットが、偽造ワクチン証明を購入して、空港に出入りしたところ、ワクチンを打っていないことがなぜかばれたそうです。

　つまり、すでに一部の空港にはＲＦＩＤリーダーが設置されていて、そこを通過するだけで、ワクチン接種済みかどうかわかるようです。

たとえれば、高速道路の料金所でETCカードを搭載していれば、ゲートをくぐるだけで料金が支払われる、ああいうシステム。これで、ワクチンを接種した人に磁石がくっつく謎や、金属片が混入していたり、電磁波が観測される理由が判然とします。

2025年までには、ビルゲイツ助成による量子ドットタトゥーという無痛マイクロニードル注射が出ます。肌にパッチを貼るだけで1・5ミリのマイクロ針が溶解し、2分以内にペイロードを解放し、皮膚下に個人接種情報を記録します。警察官のスマホにインストールされたアプリで接種済みか、否かを玄関先で瞬時に判別でき、FEMA危機管理庁に収容されるか否かが決まります。

Chapter 20

ショーン・ブルックス博士の発言（2021年8月オハイオ州教育委員会にて）

「私の名前はショーン・ブルックス、オックスフォードで博士号を取得しました。23冊の本を含む48出版物があり、約21年の間、健康、医療、解剖と生理学を勉強しました。メッセンジャーRNAワクチンを作成したロバート・マローン博士は、決してどんな状況の下でも接種をするべきでないと言いました。彼は、ワクチンを作りました、そして、その彼が、接種してはいけないと言います。

それを接種した人々に何が起こりそうか説明させてください。

3つの理由により、それを接種した人々は、次の6か月〜3〜5年で死にます。

第1の理由：あなた自身の免疫システムが35％劇的に減少します。

最初の接種では少なくとも15％減少し、現在、第2接種で35％減少しました。

ブースター注射するなら、あなたは死にます。将来インフルエンザの予防接種をするだけで死にます。

第2の理由：抗体依存性免疫増強

もちろんあなたが偽薬（偽薬かどうか知りえる方法はありません）を接種しない限り、接種した人々は抗体依存性免疫増強が起こります。

抗体依存性免疫増強は病原体が侵入した細胞だけでなく正常な細胞まで攻撃し、臓器不全が起きるサイトカインストームに至ることになります。その結果、死に至ります。それを止めることができません。どの薬もそれを止めることができません。

第３の理由：血液凝固

接種したすべての人に起こるのは、血液凝固です。

あなたが私を信じていないならば、発見することができる方法があります。

Ｄダイマー検査を受けてください。微細なレベルで血液凝固を見つけられます。

数百万人は、接種で死にました。前回の会議で人々に接種を受けるよう中心になって主張し、場合によっては、将来マスクをつけることも中心になって主張していた両親も同じことを言っていました。それで、自身の子供たちに接種させることを考えている両親に言います。あなたは永久に子供たちの生殖能力を失わせることになります。

接種した女性の80％は、妊娠初期の第一から三半期に彼らの子供を失っています。子供を持つことができません。接種した人々は、不妊になります。

あなたは、あなた自身にもＨＩＶ相当のものを注射しました。もはや授乳することができなくて、血を提供することができなくて、器官を寄付することができなくて、血漿も骨髄も提供することができません。

信じられないなら血漿を寄付してみて、何が起こるか見てみてください。

カリフォルニア以外では、提供を拒否されます。カリフォルニアでは、スパイク・タンパク質で中毒血を提供するのを許可してます。

接種でスパイク・タンパク質をつくります、半分あなたのRNAをパチッとはめることでスパイク・タンパク質を作ります。もう、あなたはもはや人間でありません。あなたは、何か他のものです。そして、あなたは無数の病気にかかりやすくなります。将来起こることを手短に話します。あなたのスタッフの何％接種したか、わかりませんが、あなたの学校は閉じることになります。

彼らが病気にかかり、彼らが死ぬので、閉まります。

全ての建物で起こります。それは、すでに起こっています。幸運を祈ります。

どんなものもこれを止めることができません」

以上。

詩56：3－4「恐れのある日に、私は、あなたに信頼します。神にあって、私はみことばを、ほめたたえます。私は神に信頼し、何も恐れません。肉なる者が、私に何をなしえましょう。」

詩１３９：23－24「神よ。私を探り、私の心を知ってください。私を調べ、私の思い煩いを知ってください。私のうちに傷のついた道があるか、ないかを見て、私をとこしえの道に導いてください。」

マタ10：28－33「からだを殺しても、たましいを殺せない人たちなどを恐れてはなりません。そんなものより、たましいもからだも、ともにゲヘナで滅ぼすことのできる方を恐れなさい。二羽の雀は一アサリオンで売っているでしょう。しかし、そんな雀の一羽でも、あなたがたの父のお許しなしには地に落ちることはありません。また、あなたがたの頭の毛さえも、みな数えられています。だから恐れることはありません。あなたがたは、たくさんの雀よりもすぐれた者です。ですから、わたしを人の前で認める者はみな、わたしも、天におられるわたしの父の前でその人を認めます。しかし、人の前でわたしを知らないと言うような者なら、わたしも天におられるわたしの父の前で、そんな者は知らないと言います。」

Part

コロナは
人類の囲い込み、
奴隷化への
ワンステップ!

Chapter 21

人類に対して仕掛けられていた超自然的な悪魔戦争（スティーブ・クウェイル談）

マイク　ようこそ、ブライティオンカンバセーションの番組へ、私は創業者のマイク・アダムスです。YouTube はとうとう州議会の公聴の内容にさえ検閲の手を出してきました。なぜそんなことをするのでしょうか？　それは今まで以上に、大変重要な内容であるからです。

　つまり皆さんに聞かせたくない内容なんです。だから検閲をするんです。それではこの公聴会では何が話されたのでしょうか？　それはワクチンを接種した方々の身内が続々とお亡くなりになってるという公式な場での報告が州議会で続々と出されているからです。

つまり、こうやって真実を封印することで人類を可能な限り多く殺すための計画なのです。こうやって公式な場で医師や医療専門家のワクチンに対するネガティブな意見を潰そうとしてるんです。ブライティオンの番組の目的は真実を追求することです。

本日ゲストにお呼びした方は、まさに真実を追求する人の中でもトップクラスの方です。彼はいわば生きた伝説とでも言いましょうか、お名前はスティーブ・クウェイルさんです。

彼は20年以上も前から現在起きている闇の問題について指摘をしてきました。そんな彼から本日は衝撃的な情報を話して頂けることになりました。まず、最初の話題は公開について、さらに内容としては悪魔の侵略について、人類に対して仕掛けられてた超自然的な悪魔戦争について触れていただきたいと思います。

スティーブさんようこそ、この番組へ。

今日は参加していただき真にありがとうございます。あなたをこの番組にお迎えできてとても光栄です。

スティーブ　こちらこそ、今世界の銀行構造が崩壊してきています。これは深刻な状況になりつつあります。これは単なる自然の崩壊ではなくて、人為的に支配層が仕掛けた新世界秩序というものをスタートさせるためのものです。彼らは長年にわたり現在のような567という混沌な人工的なものを発生させ、経済を崩壊させ、あたらしい秩序というものを立ち上げることを目的としてきました。

お金を支配するものが世界を支配するというのが彼らの絶対的なスローガンなんです。連邦準備局の長官を過去に勤めたポール・ボルカーさんという方がいます。彼は80年代の経済学者です。彼の有名な言葉を紹介しましょう。

「彼らは当初から共和党と民主党の争いについて予見をしていて、2つの政党の争いはあらゆる方向でとんでもないことになっている」という意味深な発言をしました。

現在、ホワイトハウスや連邦準備制度理事会の間で秘密裏に緊急会議が行われています。

これはいったい何なんでしょうか？　まずはこの緊急事態を知るためにアメリカの国民の皆さんが理解しないといけないのは、現実のアメリカのドルの借金の金額はなんと400兆ドルなんです。こんなの返せる訳がありませんよ。更にデリバティブ（金融派生商品／株式、債券、金利、通貨、金、原油などの金融商品の総称）の金額を含めたら、その4倍に膨らんでます。

だから、アメリカの資産はもうすべてとっくに抵当に入っていて、負債はよそへ売却されているんです。借金はいわゆる何千回も包装しなおされているような状況です。このとんでもない借金をリセットするために裏で行われている、つまり経済再編成の出来事なのです。

行われているオペレーションは皆さんが考えているよりもずっと深刻なものな

んだということです。これは、いわば超自然的な悪魔という存在が犯している罪なんです。

支配層というのは実は悪魔によってすでに魂が支配されています。パンデミックというのは単なる一部の金持ちが仕掛けた計画じゃなく、悪魔という存在が人類に仕掛けた捕獲作戦なのです。

この捕獲作戦というのは別名：絶滅作戦と呼ばれるものです。目的は人類の破壊です。

その破壊の手順として、人々を人工的にまずは食糧危機で飢えというものを与えます。

そうやって自分たちのルールに強制的に従わせようとするのです。そのルールを発表する際に、彼らは新しい通貨というものを導入します。これはいわゆるQFSのような正義のものではなく、彼らのルールに沿った新通貨です。この通貨を発行することによって永遠の魂というやつをお金の中に入れることが目的です。

私のところに世界のあらゆる情報が入ってきます。空飛ぶ円盤の実態、支配層の悪魔の儀式の実態などです。こうした情報の連絡を見ると、皆さんがもう世の中の価値観が以前とは違う風になって来てると気付いていると私は感じています。終末の聖書預言の中に、「わたしはこの岩の上にわたしの教会を建てます。ハデスの門もそれには打ち勝てません。」という言葉があります。こうしてすでに預言の中に悪魔による人類の信仰心への攻撃があると書いてあるんです。悪魔というと皆さんはデーモンなどをイメージすることがあると思います。しかし、ここでお話ししている悪魔というのはいわゆる堕天使の方です。

堕天使は以前は天使でした。だから見た目も正義に見えるんです。そして素晴らしい音楽を奏でます。すでに国民の大多数がこの堕天使という偽の救世主によって誘惑されてしまっている状況です。

実は私はある存在からもうすぐサンドマンというプロジェクトがあると言われています。

その作戦はアラブ諸国が第二次世界大戦のころに、金本位制に代わり導入をしていたペトロドル・システムという存在について触れたものです。実はアメリカドルはペトロドル・システムなくしては存在しないものなんです。そしてアラブ諸国は基軸通貨としてのアメリカのドルを、もうすぐ否認する書類にすでに署名をしていて、また他国の130か国がすでに合意しているそうです。

マイク　つまり否認が完了したらアメリカドルはゴミ箱に捨てられて世界基軸通貨ではなくなるわけですか？　そしたらハイパーインフレが起きますね。アメリカ経済がドイツやベネズエラのような状況になるというわけですね。ここで話をまとめてみましょう。

話題が豊富すぎるので少し整理したいと思います。他のゲストならもっとキチンを暴露してくださいと言う風に伝えますが、スティーブさんの場合はそんな心配いりませんよね。

今朝、ユニオンパシフィック鉄道が西海岸からシカゴへの乗り入れる列車をしばらく停止すると発表しました。彼らの発表ではシカゴに鉄道が入るスペースがないから営業停止するということでしたが、これはおそらく嘘でしょう。シカゴの鉄道はアメリカの最大の重要中継地点です。ここが停止するとなるといよいよ食料不足というものが深刻なのかもしれません。

さらに金融システムの崩壊という名の兵器も用意されてます。この2つの崩壊がきているタイミングをよく見てください。彼らはこのコロナ禍という状況で2つの崩壊を同時にぶつけることでより効果的な破壊を作り出そうとしているように見えます。

スティーブ　その通りです。

皆さんが理解しないといけないのは、この世の中はもはや通常起きるような段階的なものではなく、一度に問題が集中して起きるような異常事態が発生してるということです。これはもはや個の人間だけでは乗り切れるような状況ではなく、超自然的な悪魔という存在が裏から指揮をして、そしてこれは決して人類が避けられないものだということです。

飛行機も電車も空港もすべてグローバリストと言われる、いわば支配層の連中の所有物です。世界で最も危険な場所として知られるのはシカゴです。だから彼らはシカゴを拠点として悪を作り伸ばしてきました。その拠点を止めたということはいよいよスタートする相図なのかもしれません。25年前にこの話を私がすると誰も信じてくれませんでした。

ここで少し怖い話をしましょう。

アメリカの鉄道コンテナの車両というのは実は人間を輸送するために使われる手段なんです。私はここで働いて解雇された人間に直接話を聞いたんです。コンテナ車両の中には手錠も設置されているそうです。この輸送システムはアメリカだけじゃなくカナダもニュージーランドもイギリスもオーストラリアも持ってます。オーストラリアなんてつい最近、新世界秩序への参加を発表しました。アメリカは、もう20年前から発表しています。

今回オーストラリアが発表したものとはちょっと違うルールになっているようです。

マイク　ちょっと待ってください。

話をそれ以上進める前に鉄道について、ちょっと整理させてください。ルーラルトレイン・ＯＲＧという組織がまとめた発表によると、来るべき未来の危機に備えて地方の大きな農村地域でウイルス感染が爆発した時のことを想定して、その場所の村一帯を隔離して拡散を防ぐために動く特別組織グループを立ち上げたと聞いています。そしてスティーブさんが言うには、その何百もの鉄道の輸送コンテナの中身は囚人用の手錠がついていたということですよね。この2つの出来事は関連性がありそうですね。つまり郊外でウイルスをバラまいて次々と住民を捕まえて鉄道で彼らを輸送する準備をしているということでしょうか？

スティーブ　その通りです。

ただ、訂正したい内容は何百ではなく、何千です。今はガソリンが不足していますし、食料も不足しています。だから、コンテナの中身はからのはずです。でも動いてるんです。いつも移動しています。それは囚人用として使ってるからです（又は誘拐）。彼らの目的は食糧危機による人類の囲い込みです。つまり、飢えを与えることで、彼らのアジェンダに従わせようとした戦力です。このタイミングで天候災害という名の戦争も仕掛けられてます。また近いうちに太平洋北西部の地域で異常気象が起きるでしょう。さらにコロラド川では貯水されるはずの2つの貯水池であるグレンキャニオンダムとミード湖の水が圧倒的に不足してるんです。公式アナウンスによると1／3ぐらいの水しか溜まってないということですが、実際に現地に足を運んだ方に聞いたところによると25％しかないそうです。このパーセントはいわばミード湖の水力発電を閉鎖しないといけない緊急事態です。私は今、この水不足についてのドキュメンタリー動画を空撮しながら作っているところです。そうやってこの危機を人類に伝えたいのです。もしアメリカで水力発電が止まったらどうなりますか？　圧倒的な電力不足が起きます。つまりテスラのような電気自動車に乗ってる人は生活に困るでしょう。さらに電力がなくなるとエアコンが効かなくなります。

先日カナダでは記録的な暑さを記録したそうです。この水不足が本格化すると西海岸に住んでる人はコロラド川の水に頼ってましたから、この水不足により西海岸から大量の移住がスタートすると私は考えてます。ネイティブアメリカンの予言を見ると、世の中に支配層と呼ばれる悪魔がやってくる、というものがあります。そして、さらに続いて、飢饉と干ばつが起きると書いてあるんです。もし新鮮な水が不足してくると海水の生き物も死んでいきます。

自分の家は井戸だから大丈夫という人もいるでしょう。しかし、支配層は井戸を全て水道メーターを付けて管理しようとしてます。悪魔と呼ばれる彼らは人類を絶滅させるために気候変動と水不足を人工的に起こしながら我々を追い込んでくるわけです。今、まさに、この計画の実行を目の前で見てるんです。これはワクチンについても同じことが言えます。

マイク　干ばつについての動画を撮影されてると聞いて、楽しみができました。これは驚異的な映画になると私も期待してます。スティーブさんの仕事は人類を救うことになりますので、今後も期待してます。今の話をまとめますと、ネバダ州、カリフォルニア州を中心に水不足が起きて人が住めなくなる可能性があるっていうことですよね。聞いたところによるとオレゴン州ではクラマス湖の灌漑(かんがい)用水路のコントロールシステムからの放水が禁止になったそうです。
その為、南オレゴンや北カリフォルニアの農家が深刻な水不足に見舞われていて、収穫ができずに食糧危機を迎える状況に陥りそうです。ワシントン州もオレゴン州もこの異常な熱波により生活が耐えきれなくなるのではないかと心配してます。この異常気象は私の予想では気象兵器によるものではないかと考えてます。西海岸がかなり心配ですよね。特に大都市に住んでる人は生活が苦しくなると思います。まだ郊外に住んでる人はマシです。

更に私が心配しているのはサイバー攻撃による電力インフラの崩壊です。この電力で働いている人たちに強制ワクチンを接種させてるところも心配です。ワクチンによる死亡がインフラ工場で働いてる人の間で起きているんではないかと心配してます。つまりこうしたインフラというのは人で成り立ってるわけですから、そこを攻撃されるという訳です。この攻撃により仮に半分くらい死んだとしましょう。そしてらアメリカはもはやインフラが経営できなくなります。

スティーブ　それだけじゃありませんよ。今は軍隊も強制ワクチンがスタートしました。これらのワクチンの攻撃の本質を見てください。中国の将軍たちは次のような発言をしました。
「この生物兵器（ワクチン）を使ってすでにアメリカとの戦争に勝った！　アメリカの経済力を無力化してやった」、と喜んでるそうです。

つまり鉄砲も使わずに自分たちの言いなりの大統領を据えて、ワクチンというものをみんなに打たせてワクチンで軍隊やインフラを壊し、一発の銃弾も放たずに制圧したんです。もちろん、みんな、この話をしたら嘘だと信じないでしょう。そして彼ら国民を洗脳して全て嘘だと思わせている連中は実は国を仕切ってる、犯罪行為を堂々と犯してるこの国の政治家や公務員の連中なんです。彼らは全て中国に魂を売った奴らです。だからもうすでにこの国は崩壊の一歩をスタートしました。

彼らは資産十兆円あります。今、彼らは新規でローンを買い取ってるんです。ブラックロックというアメリカ最大の資産運営会社があります。

なんででしょうか？　経済が崩壊するって知ってるのに、なぜ積極的にローンを買い取るんでしょうか？　本当の狙いはグレートリセットが起きた後、経済が崩壊し、不動産の金額が落ちた後で、一気に物件を差し押さえることなんです。そうして、経済の崩壊とともに格安で物件を差し押さえることができるんです。そうやって差し押さえた不動産の名義を最終的には後できちんと保管をしておいて、中国人が大量に押し寄せてきたら、その移民に対して渡すんですよ（背乗り行為）。段取りがもうすでにできてるんです。だからこれは征服計画の第一歩です。アメリカよりも中国人の方が億万長者の数が多いんですよ。彼らは個人で何兆円も持ってるんです。だからアメリカだけじゃなく世界の国々で同じようにやっていくわけです。

水はもうすでに民営化になって自分のものではありません。中国がしっかり裏から押さえました。井戸があるからって安心してもダメです。もうそこにはいずれ中国のメーターがやってきます。そうやって彼らは先に水を押さえたことで、すでに支配をスタートしてその後で水を高く請求してくるわけです。自分たちの水で将来自分たちが苦しむという罠に嵌められたわけです。

マイク　カリフォルニアはもうスタートしてますよ。

スティーブ　私はこれらの一連のおかしな現象を病気の子犬ファクターと呼んでます。

どういう意味かというと、これは全てどの動きを見ても病気の子犬のようにおかしな症状を見せてるということです。悪いプランもまずはカリフォルニアでスタートして、そこで試してから徐々に東へと流れるスキームになっています。それはカリフォルニアが完全に中国に支配された場所だからです。人類は水なしでは生きていけません。さらに電車が動かなくなったり、飛行機が飛ばなくなったり、トラックが移動しなくなったことを想像してください。トラックなんて今では武装しないと移動できないっていう人もいますよ。シカゴはそれだけ危険な場所となってるわけです。ミシシッピを見てください。完全に水不足です。ミネソタに住んでる人からレポートも入っています。つまり一連の動きが全て偶然ではなく、計画的に支配層の悪魔の連中によってスタートしたわけです。

国連だってハッキリ言ってます。誰が生きるか死ぬか決めるのは全て食糧次第だと。バイデンだってこう発言してます。

「もし今後真実を話すような連中が現れてきたら、みんなその国の敵とみなす」と。

また経済でもおかしなことが起きてます。大手5社の銀行口座を持つ方からお話を聞いたところによると、先日、銀行からローンをしようとしてお金を借りたら、なんと一晩で25％の金利をつけられたそうです。これが何を意味するか分かりますか？　つまり厳しい流動条件を付けられたんです。それだけお金が回ってない証拠です。先ほどもちょうど知り合いから連絡が来て、銀行からお金が下ろせないと言ってました。どこの銀行も、今週末をまたぐのが大変だと言ってます。理由は流動しているお金が少ないので、週明けにお金を下ろす量が調整できないんです。

マイク　今、人々は急激に目覚めて来てます。銀行が機能してないことにもいずれ気づくと思います。先ほどの西海岸の問題についての話をさせてください。マスク強制ルールが再開しました。ワクチン接種者も関係なくマスクが強制だということです。今までは「ワクチンさえしたらマスクはしないでもいいよ」という話が一転して「もうダメだ」ということになったそうです。

今、このロサンゼルス・カウンティからも新しい形のロックダウンというものがスタートしようとして、これは、やがて他州にも適用させていくんだと思います。今までは一時的なロックダウンでしたが、これからはいつでもロックダウンをしていくんでしょうか？　ワクチン接種者の中から続々と発病がスタートしています。しかし大手メディアじゃ、これを全てワクチンを接種してない奴らが広げた物だという嘘をついてます。これはワクチン接種してない人を犯罪者扱いして、なんとしてでも接種させるようにするのが狙いだということです。

そうやって全員をワクチン接種まで何とか追い込んでいく訳です。

今から我々も覚悟しないといけないのは、ワクチン接種をドアからドアまでやってきて、ワクチンポリスが訪問してきて最終的な拳銃を突き付けてくる可能性も想定しておいた方が良いということです。最悪のケース手錠をかけて腕をまくって強制的にあなたの意思とは関係なく打ってくる日が来るかもしれません。もしそれを拒否したらコロナ強制収容所に送るという訳です。

もっとひどいのは接種してない人をターゲットにして、そっと家の外からEMF（高周波）の攻撃をしてくるかもしれません。これら最悪のことは、まだ起きてませんが、私の感覚ではもう1か月くらいでスタートするんじゃないかと思ってます。ロックダウンも再開して、さらにワクチンは実は免疫効果がないということも発表してます。これはいつまで続くんでしょうか？

それは皆さんが我慢している限りずっと続きます。スティーブさん、この状況を国民の皆さんはどこまで耐えられると思いますか？

スティーブ　支配層は今の状況を「デルタテスト」と呼んでるそうです。デルタというとデルタ株のウイルスという風に勘違いしますが、実は違います。偶然にしては奇妙な一致ですよね。

このデルタテストは人類に強制をし続けて、どこまで人類が抵抗するのかを確認する抵抗値の割合を測る確認プロセスだということです。

今、アメリカの経済はデルタテストにより崩壊してきています。ハリウッド映画ビジネスはロックダウンで収益が取れませんし、カリフォルニア州知事のロックダウン政策により、レストランビジネスを破壊し、中産階級は崩壊してきました。レストランビジネスで働いていた60％が経営破綻をしたそうです。収入が無くなったので、食費を削り生きていく人が多いです。そんな中、一方、経営者はなんとか収益を戻そうと必死に単価を上げてこようとしていて、ハンバーガー1つ100ドルとか、ニューヨークでは200ドル（2万円）とか、おかしな値段になってます。経営者も必死なんです。でも、失った収益は取り戻せません。これは国の収益も同じです。国レベルで見ると不正選挙が起きて、国の収益は盗まれて失われました。そして、その犯罪についてメディアは必死に隠そうとして嘘をつきます。

さらに危険なのはワクチンという化学兵器に屈するということです。ファウチはいずれ歴史的な大犯罪者として逮捕されることでしょう。しかし犯罪者はファウチだけじゃありません。このプロジェクトを裏から支えた何十億をいうお金をグレートリセットによって借金を帳消しにしたい人たちです。そしてそれを知らぬ間に自分たちも借金をするということで、それに貢献してしまってるんです。

この壮大な計画があるので、メディアは全ての真実を決して伝えることはしないでしょう。

彼ら自身が借金を取り消せるので、真実を潰そうとしてるんです。そうやってメディアは貴方の情報を遮断して崩壊を知らせないようにして、皆さんを洗脳して操り人形にしようとしているんです。このロックダウンが終わった後に、自分らの仕事がまだ市場にあるかどうか心配している人もいることでしょう。それはおそらく彼らに服従しない限りその仕事の復帰、または継続は難しくなると思います。そうやって彼らはあなたが操り人形になるかどうか見てるんです。

グレートリセットが起きたらどうなるか。仕事がない人で補助金を受けてる人、この人たちの補助金は当然切るでしょう。でも大丈夫！　私には貯金があるから。そんな人もアメリカドルで持ってますか？　ドルが崩壊したら危ないですよ（円も連動）。あなたの資産の紙幣が全て価値のない物になったらどうなりますか？この紙幣の仕組みというものをよく見てください。全て色々と複雑に市場と絡んでるんです。まるで何層もの繋がりになってるんです。そしてその層から無理やり引っ張り出そうとしたら、塊全体が倒れてきてしまいます。だから、挟まってる時点でもはや手遅れという訳です。そうなると慌てて売ろうとする人が殺到して、書類が市場でひっちゃかめっちゃかになるでしょう。

そこで崩壊がスタートするわけです。みんなが慌てて自らの行為でトランプカードで作った家を次から次へと上から崩壊させていくというわけです。だからあなたが信じようが信じまいがこれは着々と進んでるわけです。彼ら支配層は国民の生活を何とか平穏に維持しようなんて、これっぽっちも考えてません。

マイク　この番組ではワクチンの成分の中に酸化グラフェンがはいっているという危険性についてお知らせしました。ここであるニュース記事を紹介させてください。

「インブレインという会社が脳の神経細胞であるニューロンの開発に成功して1700万ドルの資金をファンドで集めました。この会社はＡＩを搭載した世界で初のグラファイト脳であるグラフェンインターフェースの技術を実現した」そうです。

聞きましたか？　グラフェンについて私がお話をしたら、私のことを陰謀論者だと言って、散々みんな罵ってきましたよね。これで全て真実だということが分かってきましたか？　グラフェンはバイオ電子回路の構築の為に使うものです。つまりグラフェンを体に入れたら脳とのインターフェースができることになってしまいます。これは決してSFではありません。私は陰謀ではなくニュースの記事を今、読み上げたんです。もちろん表向きはパーキンソン病を治すための開発だと言いますよ。でも真実は違います。

グラフェンの材料は炭素原子の格子を使ってます。とても強い素材だという事です。鉄の100倍です。更に、この成分は電気と熱伝導も可能にします。つまり彼らにとって機械学習可能なソフトウェアを人間の脳にワクチンを通じて入れることが可能になるという訳です。さらに、人間一人一人適応した調整もできるようになれば生体回路システムにより脳をコントロールすることが可能になるというように記事には書いてるんです。

スティーブ　その通りです。ワクチン接種は戦争なんです。これにより脳が相手に支配されるという訳です。先日Amazonがアメリカ政府から認可を受けて、人間が寝てる間の脳波の状況をモニターするための器械の販売をスタートすると聞きました。アマゾンは、この機会を通じて人間の寝てる脳のデータを取り、操作（潜在洗脳）をしようとするのでしょうか？　私もマイクさんも、再三これらの警告を番組を通じて流してます。彼ら支配層はこうしてワクチン兵器を使って人間の記憶の改ざんをして睡眠中の潜在意識も捜査をしているわけです。私たちは、それを恐れているんです。彼らの最終目標は人類を神経系のゾンビに改造することです。このゾンビ化計画については私が、どんなに話をしても、どの番組でも一向に理解してもらえません。

しかし、よく現実を見てください。１９８０年代にＣＩＡ長官だったビル・ケーシーが次のように言いました。

「アメリカ国民全員がその話は陰謀だ！　と言ったとき、私たちの計画のマインドコントロールが無事に完了した」　と私は思うでしょう、と。つまり陰謀論が真実なんです。

みんなが陰謀！　陰謀！　だと騒いでることが洗脳された証拠です。このグラフェンの話も全く同じです。私は炭素のシリコンサイボーグになるくらいだったら、人間として土に返りたいです。

マイク　つまりワクチンを通じて電子回路を脳に入れる目的というのは人間の体を乗っ取るということですか？　でも恐ろしいのは意識を持ち続けているのに、彼らに、なんとなく動かされているということです。まさにいつの間にか操り人形みたいになっていて、自分にはコントロールできないというわけですよね。ここでゾンビ映画のゾンビを想像していくと、彼らの歩き方ってなんか遅いですよね。誰かに意識を遠隔で操作されてるバイオドローンみたいな感じなのでしょうか？　ああした動きになってるのは、グラフェンが完全に体に１００％装着してないからじゃないでしょうか？　だから伝達に時間がかかるためにスムーズに意思疎通ができないから、ゆっくりとしかゾンビは歩けないのじゃないでしょうか？

スティーブ　ワクチンの成分はもうすでに、はっきりしてます。その中にはエイズも入ってますし、狂牛病の病原体であるプリオンも。狂牛病は別名でヤコブ病ともいいます。さらにパーキンソン病も入っています。ＡＬＳと呼ばれるルー・ゲーリック病も入ってます。

一時期ヒラリーやメルケルが同じような筋肉が震える症状で悩まされた時期がありましたよね。過去の動画に行くと彼女たちがしばらく歩行困難で震えてる様子が分かります。この二人は開発時点で何らかの周波数か毒を浴びたのではないでしょうか。例えばツアーをしている最中にとか、また1950年代にパプアニューギニアの部族がある原因不明の病気でなくなりました。その原因不明な病気は「クル」と呼ばれていたんです。この「クル」というのは現地の用語で「震える」という意味です。今、ワクチン接種後に多くの人が震える症状に悩まされてるんです。これは当時支配層が現地の人を使ってワクチンの実験をしたんじゃないでしょうか？

mRNAのワクチンの中にはさらに胎児の細胞も入っていると聞きました。彼らの目的はそうした混ぜ物の細胞を体の中に入れることで、人類の血を汚したいんです。

マイク　ヨーロッパのあるグループがワクチンの接種会場で接種した後に、すぐにその人の周辺の磁気を調べたそうです。およそ60人のデータを取ったそうです。すると驚いたのは打った直後よりも打ってしばらく時間が経った方が、磁気が強さを増したそうなのです。これは、つまりワクチンの成分の中に自己組織化のプロセスが可能になる成分が入ってるという証拠ではないでしょうか？　もちろん、そんな自己再生ロボットがある成分が入ってるなんて、私も１００％自信を持って言えませんが、この時代はもはや何でもありなのかな？　と思ってしまいます。

スティーブ　私は可能性はあると思ってますよ。ワクチンを打ったら注射の部位が円形のアンテナみたいな形になるそうです。つまり、これはナノマシンプログラムを作り出すアンテナ型になる成分がワクチンの中に入っていると疑っています。よくワクチン接種後に電球をつけたら光がついたみたいな感じの動画を出してる人がいますよね。ああいうのは科学とは言いません。トリックでしょう。本当の科学というものは、そんなにわかりやすい現象では起こりません。全ては隠されていて、徐々に市場に出てくるでしょう。今我々が目にできる物はほとんど全て彼らによって開発が済んだもので、真相はずいぶんと後で時間が経って出てくるものです。

マイク　おっしゃる通りですね。ワクチンの研究についての科学文献を見ると生体回路の制御テストは、常に外部からの電磁波によって行われたと書いてました。これはおそらくネズミで試した電磁波の実験のことを指してるんでしょうか？　ネズミの脳にワクチンの成分ｍＲＮＡを入れてネズミを思い通り動かせるかどうかの実験をしたんじゃないでしょうか。で、この外部の電磁波というのは５Ｇのことじゃないでしょうか。ワクチン接種を続けて、ある一定の時間に達したら５Ｇをスタートして、何らかの放送をスタートすることで接種者にどう電磁波の影響を与えるのでしょうか？

スティーブ　私は５Ｇというのは、まだ前振りで本番は６Ｇだと思ってます。これは、すでにフィンランドで開発されてます。これが成功すると世界総合電子ネットの社会が実現可能となるわけです。つまり映画「ターミネーター」のスカイネットがお披露目するという訳です。そして、偶然にも映画ターミネーターと同じ言葉である、「ジェネシス6」という名前が付けられてるんです。

マイク　嘘でしょう⁉

スティーブ　嘘じゃないですよ！　これは高校教師の作家トレイシー・イエーツさんの本の中でも詳細が書かれてます。この「ジェネシス6というのは創世記6章のこと」です。元々、天使だった存在である堕天使が人間との間に子どもを作り、罪を犯して天上から追い出されて堕天使となってしまったんです。堕天使は「悪魔」を意味します。そして、この堕天使は死んでおらず、生きたまま保存されたんです。この6Gが世界で発動された時、この世には、脅威の電磁波制約という世界が待ってます。そして、あなたもこの電磁波の攻撃を受ける訳です。

以上。

Part

闇権力は
いつも聖書をヒントに
災厄を起こす!

Chapter 22

世界の終わりの前兆が今、まさに、起こっている！

世界の終わりにはいくつかの必ず起こる前兆があります。いまそれが起きています！　この聖書の教えが全世界に伝えられてから終わりが来ます。そのため神様の御計画を知り、これをいつも邪魔する反対者で敵対者の悪魔は伝道できないように、教会のクリスチャンをだまして生ぬるくして永遠を考えないように攻撃しています。なぜならクリスチャンの伝道がうまくいって全世界の人に聖書の福音が伝わった時、世界の終わりが来て悪魔が滅ぼされるからです。

悪魔は時が来て地獄で滅ぼされたくないから、教会の伝道を邪魔しています。

Ⅱペテ3：9－13「主は、ある人たちがおそいと思っているように、その約束のことを遅らせておられるのではありません。かえって、あなたがたに対して忍耐深くあられるのであって、ひとりでも滅びることを望まず、すべての人が悔い改めに進むことを望んでおられるのです。しかし、主の日は、盗人のようにやって来ます。その日には、天は大きな響きをたてて消えうせ、天の万象は焼けてくずれ去り、地と地のいろいろなわざは焼き尽くされます。このように、これらのものはみな、くずれ落ちるものだとすれば、あなたがたは、どれほど聖い生き方をする敬虔な人でなければならないことでしょう。そのようにして、神の日の来るのを待ち望み、その日の来るのを早めなければなりません。その日が来れば、そのために、天は燃えてくずれ、天の万象は焼け溶けてしまいます。しかし、私たちは、神の約束に従って、正義の住む新しい天と新しい地を待ち望んでいます。」

マルコ16：15－16「イエスは彼らにこう言われた。「全世界に出て行き、すべての造られた者に、福音を宣べ伝えなさい。信じてバプテスマを受ける者は、救われます。しかし、信じない者は罪に定められます。」

Ⅰテモ２：４「神は、すべての人が救われて、真理を知るようになるのを望んでおられます。」

宗教改革者は、このような教会が伝道をやめた危機的状況を次のように語っております。

「伝道的でなくなった教会は、すぐに福音的でなくなる」（アレキサンダー・ダフ）

「かくも多くの人々（未信者）が一度も福音を聞いたことがないのに、なぜ、かくも少ない人々（信者）が幾度も幾度も（教会内で）それを聞くべきなのか」（オズワルド・スミス）

ラインハルト・ボンケ氏は「世界で最も福音が語られている場所は世ではなく教会の講壇である。これは悲惨なことである。魚を釣るために、家のバスルームで釣ろうとしても一匹も釣れない。家から出て行って、川や海に行くなら魚が釣れます！　福音宣教も同じです」

しかし、イエス様の至上命令である世界宣教の御計画と預言は変わりません。イエス様は2000年前から今の時代を指して言われました。

マタ24：14「この御国の福音は全世界に宣べ伝えられて、すべての国民にあかしされ、それから、終わりの日が来ます。」

以下は宗教改革者ジョン・ウェスレーの言葉です。

「数え切れない人々が、今なお福音を伝えられていない」

「あなたは、この地上で、ただ一つのなすべきことを持っている。それは魂を救うことである」

「教会は宣教の義務を果たすときのみ、その存在を正当化する」

「病気にかかった教会に対する最上の治療法は、宣教という食餌（しょくじ）を与えることである」

「私たちは『御国を来たらせたまえ』と祈りながら、決して『ここに私がおります。私をおつかわしください。』とは言わないのではないだろうか」

「宣教しない教会は、いのちのない化石のようになる」

「伝道的でなくなった教会は、すぐに福音的でなくなる」

「世界はわが教区なり」

悪魔は牧師に対して、世の畑に出て行って、福音を宣教するという本来の使命を邪魔するために、教会内に悔い改めない人格的に問題をもった人々やイゼベル的な人々、教会批判や分裂を引き起こす高慢な「トラブルメーカー」という刺客を送り込み、牧師がカウンセリングや問題処理、苦情処理に追われて、本来的な使命である世に対する「伝道」がまったく、できないように仕向けます。

第一コリント9章16節でパウロは『私が福音を宣べ伝えても、それは私の誇りにはなりません。そのことは、私がどうしても、しなければならないことだからです。もし福音を宣べ伝えなかったら、私はわざわいに会います。もし私がこれを自発的にしているのなら、報いがありましょう。しかし、強いられていたにしても、私には務めがゆだねられているのです。』と言います。

ある伝道者が言いました。「今日（こんにち）のクリスチャンの最大の罪は伝道を怠っていることである」

IIペテ1：19「また、私たちは、さらに確かな預言のみことばを持っています。夜明けとなって、明けの明星があなたがたの心の中に上るまでは、暗い所を照らすともしびとして、それに目を留めているとよいのです。」

多くの人々が救われるリバイバルの聖書預言

新改訳聖書　イザ59：19「そうして、西のほうでは、主の御名が、日の上るほうでは、主の栄光が恐れられる。主は激しい流れのように来られ、その中で主の息が吹きまくっている。」

口語訳聖書　イザ59：19　「こうして、人々は西の方から主の名を恐れ、日の出る方からその栄光を恐れる。」

ＮＫＪＶ聖書　「His glory from the rising of the sun」

聖書の預言

イザ60：21－22　「あなたの民はみな正しくなり、とこしえにその地を所有しよう。彼らはわたしの栄光を現わす、わたしの植えた枝。わたしの手で造ったもの。最も小さい者も氏族となり、最も弱い者も強国となる。時が来れば、わたし、主が、すみやかにそれをする。」

聖書の預言／第三次世界大戦が起きます

エゼ38：8「多くの日が過ぎて、あなた（ロシア）は命令を受け、終わりの年に、一つの国（イスラエル）に侵入する。その国は剣の災害から立ち直り、その民は多くの国々の民の中から集められ、久しく廃墟であったイスラエルの山々に住んでいる。その民は国々の民の中から連れ出され、彼らはみな安心して住んでいる。」

その時、彼ら（イスラエル）はみな安心して住んでいます。

１９９３年にイスラエル政府とＰＬＯ（パレスチナ解放戦線）のオスロ合意の結果、ＰＬＯは武装闘争路線の放棄を約束し、イスラエルとの間にパレスチナ暫定自治協定を締結して和平が成立。アラファト議長はイスラエルのラビン首相とともにノーベル平和賞を受賞しました。

さらに２０２０年8月13日、イスラエルとアラブ首長国連邦（ＵＡＥ）が国交を正常化することで合意したとホワイトハウスは発表。トランプ大統領は当時、「歴史的な瞬間だ」「氷が溶けた今、より多くのアラブ諸国とイスラム諸国がUAEに続くだろう」と和平成果を強調しました。

確かにこのことは「彼ら（イスラエル）はみな安心して住んでいる。」という聖書預言のお膳立てであり、トランプ大統領は、結果、聖書預言の実現に向けて事を推し進めたのです。

富の二極化の預言／グレート・リセットの起源も聖書

ルカ19：26「彼は言った。『あなたがたに言うが、だれでも持っている者は、さらに与えられ、持たない者からは、持っている物までも取り上げられるのです。」

コロナ禍の2年間で富裕層、貧困層の富がお互い4割近く動きました。富裕層は、いよいよ豊かに、貧困層は、いよいよ貧しくなりました。
　終末期に起きることが書かれた黙示録の預言通りです。

　黙6：6「すると私は、一つの声のようなものが、四つの生き物の間で、こう言うのを聞いた。「小麦一枡は一デナリ。大麦三枡も一デナリ。オリーブ油とぶどう酒に害を与えてはいけない。」

　小麦、大麦がバイオエタノール革命ゆえ高騰しました。そのため貧困層アフリカの人々は主食のトウモロコシさえ高騰して食べられません。今後、貧者は一日働いても小麦、大麦が高くてパン一個くらいしか買えない時代が来ます。

　一方、終末災害にも無害なドバイ産オイルマネーを聖書は預言します。
「オリーブ油とぶどう酒に害を与えてはいけない」
オリーブ油とぶどう酒とは、現代の原油とワインであり、これらは災害時にも無害です。現代の富裕層の贅沢品のオイルマネーとワイン市場は株の安定品目でもあり、彼ら富裕層は害を受けない状態のままで現代は富の二極化が急速に進んでいます。

ワイン投資は単体で一獲千金を狙うのには向きませんが、金融市場の影響を受けづらく、分散投資として富裕層を中心に注目されています。ワインというインフレに強い「現物」があることで、コモディティ投資だから倒産した企業の株式の紙屑のように資産価値がゼロになることはないからです。

繰り返される疫病の発想／第2波、第5波と再来する預言

ハバ3：1－5　「預言者ハバククの祈り。シグヨノテに合わせて。主よ。私はあなたのうわさを聞き、主よ、あなたのみわざを恐れました。この年のうちに、それをくり返してください。この年のうちに、それを示してください。激しい怒りのうちにも、あわれみを忘れないでください。神はテマンから来られ、聖なる方はパランの山から来られる。セラその尊厳は天をおおい、その賛美は地に満ち

ている。輝きは光のよう。ひらめきはその手から放たれ、そこに力が隠されている。その御前を疫病が行き、熱病はそのうしろに従う。」

暗い所に疫病が蔓延。要害とほら穴の暗闇で疫病が活発と聖書は語ります。

エゼ33：27「あなたは彼らにこう言え。神である主はこう仰せられる。わたしは誓って言うが、あの廃墟にいる者は必ず剣に倒れる。野にいる者も、わたしは獣に与えてそのえじきとする。要害とほら穴にいる者は疫病で死ぬ。」

新型コロナは暗やみに歩き回り、太陽光が弱点と聖書は暗示しています。

詩91：6－7「また、暗やみに歩き回る疫病も、真昼に荒らす滅びをも。千人が、あなたのかたわらに、万人が、あなたの右手に倒れても、それはあなたには、近づかない。」

行動制約受けた／巣籠コロナ自粛

あるフィリピン人の姉妹が自分のアパートでオンラインで礼拝をささげていました。いざ礼拝が始まり、ズームを観ているうちに、別に向こうからは見えないだろうと、朝食を食べながら観ていたのですが、そのとき彼女の心が主の聖霊様によって刺されました。自分はいったい何をしているんだろう。食事をしながら礼拝するなんて。教会にいたらそんなことは絶対にできないのにそれができるというのは、自分の中に神への思いがズレでいるからではないか……」

それで翌週から礼拝に来るようになりました。どこで礼拝するかが問題なのではなく、問題はどのような心で礼拝しているかです。そのような状態が続くと霊的にも麻痺してしまい、神への恐れでなく自分中心の信仰に陥りがちになります。

Chapter 23

重度のビタミンD欠乏で死亡率が2倍

新型コロナは太陽光に弱く、米国土安全保障省長官の科学技術顧問ウィリアム・ブライアンさんはトランプ大統領のコロナ流行に関する定例会見で、太陽光によって新型コロナウイルスが急速に不活性化することが分かったと発表しています。新型コロナと闘うには免疫力をつけることが重要です。そこで日光浴です。免疫力を高める栄養素の1つがビタミンDですが、ビタミンDの濃度と新型コロナによる死亡率の関係性について、欧米でも新たな研究結果が次々と報告されています。

ヨーロッパ20か国を対象に、ビタミンDの平均濃度と新型コロナの感染率や死亡率の関係性を分析した結果、新型コロナの死亡率が高いイタリアとスペインでは、人々のビタミンDの平均濃度が北欧諸国よりも低かったのですが、反対に、感染者数が少なく、人口あたりの死亡率も低い北欧諸国では、人々のビタミンDの平均濃度が高かったのです。なぜ、北欧諸国とイタリアやスペインではビタミンDの平均濃度に差があるのか？　理由として、南欧諸国の場合、高齢者が強い太陽光を避ける傾向があること、皮膚色素沈着がビタミンDの自然生成を減少させていることを指摘。反対に、北欧諸国では、人々がタラの肝油を食べたり、ビタミンDサプリメントを摂取したり、太陽光を浴びることがビタミンDの平均濃度を高めているそうです。

新型コロナについては、炎症性サイトカインが過剰放出で急性呼吸窮迫症候群に陥って死亡する患者がいますが、ビタミンDには過剰な免疫反応を抑制して、これを抑える効果があります。魚類やキノコ類など、ビタミンDが豊富に含まれている食品を積極的に食べるとともに、ビタミンDの自然生成を促す太陽光を浴びて、免疫力をアップすることが肝要です。

Chapter 24

311大地震、疫病コロナの次は食糧不足がやって来る!?

ルカ21：11「大地震があり、方々に疫病やききんが起こり、恐ろしいことや天からのすさまじい前兆が現われます。」

1855年11月11日『安政江戸地震』最大震度6／マグニチュード6・9〜7・4。

直下型地震で人口密集の江戸に甚大な被害が起こった翌年、世界的流行のコレラが日本にも上陸し、感染が一気に拡大。江戸では、わずか1か月で1万2000人も死亡。さらにその後、約4年間にわたって感染は続き、死者は江戸だけでも合計10万人を超えたと言われています。

それはあくまで、天然物です。しかし、今回は人工物。**もし、人工地震の東日本大震災が聖書の言う大地震**なら、次は人工的に疫病。順番通り新型コロナ疫病を方々に起こしましたが、疫病とききんがワンセットで聖書預言されています。疫病コロナの次は食糧不足が起きるでしょうか？

実際、ある意味では預言は局地的に既に成就（じょうじゅ）しています。日本では中国やベトナムなどの季節農業従事者たちがコロナ禍で入国規制にかかり来日できません。結果、生産量は多いのですが、収穫が追い付かない人手不足で規模縮小となって、生産性が大きく落ち込んでいます。

同様にアメリカでも南米の季節労働者たち、その多くは違法入国者たちが入国できずに、生産縮小となり、穀物価格が高騰、そのしわ寄せが発展途上国のアフリカなどの飢餓を招いています。中国も同様に異常気象の長雨やイナゴの大発生により、食糧難がこの時期に連動しています。私たち先進国にまでは響いていない事態ですが、疫病と飢饉は間違いなく連動しているようです。

聖書には、古代エジプトでヨセフの時代、彼が国務総理であった頃、7年間の大豊作が続き、その後は先の大豊作が忘れられるほどの厳しい大飢饉が全世界に7年間続きました。

しかし、神様の聖霊様を持つヨセフは事前にその災害をパロ王の見た夢の解き明かしで知っていたので、先の7年間はひたすら贅沢を避けて、備蓄させました。こうして後の7年大飢饉の艱難（かんなん）が全世界を襲った時、非常に高値で穀物を販売開始して大儲けしました。その古代エジプト繁栄の足跡がピラミッド遺跡などです。

さて、闇組織は同様の手口が可能な気象兵器ＨＡＡＲＰを所有しています。北極圏のノアの箱舟と呼ばれる貯蔵庫に２０２０年は、さらに追加種子6万種を貯蔵し、合計約１０５万種を保管しています。世界の破滅に備えての活動ですが、共同出資者たちを見ると闇組織の連中ばかりが主体となっています。いつ彼らはそれを実行するのか分かりませんが、聖書をいつもマネして儲ける連中であることは確かです。

最近、研究者らによると、北極圏では他の地域の2倍の速さで温暖化が進行しているとのことで、そろそろ施設管理で持ちこたえる限界が近いようです。

Chapter 25

鳥インフルエンザの起源も聖書から

闇組織はいつも聖書をヒントに真似して人工的に災害を起こします。イスラエルのユダヤ人は荒野を旅する時、肉を求めて欲望から神様にたてつきました。そのやり取りが以下です。

民11：4－6「また彼らのうちに混じってきていた者が、激しい欲望にかられ、そのうえ、イスラエル人もまた大声で泣いて、言った。「ああ、肉が食べたい。エジプトで、ただで魚を食べていたことを思い出す。きゅうりも、すいかも、にら、たまねぎ、にんにくも。だが今や、私たちののどは干からびてしまった。何もなくて、このマナを見るだけだ。」

民11：18－23　「あなたは民に言わなければならない。あすのために身をきよめなさい。あなたがたは肉が食べられるのだ。あなたがたが泣いて、『ああ肉が食べたい。エジプトでは良かった』と、主につぶやいて言ったからだ。主が肉を下さる。あなたがたは肉が食べられるのだ。あなたがたが食べるのは、一日や二日や五日や十日や二十日だけではなく、一か月もであって、ついにはあなたがたの鼻から出て来て、吐きけを催すほどになる。それは、あなたがたのうちにおられる主をないがしろにして、御前に泣き、『なぜ、こうして私たちはエジプトから出て来たのだろう』と言ったからだ。」

しかしモーセは申し上げた。「私といっしょにいる民は徒歩の男子だけで六十万です。しかもあなたは、彼らに肉を与え、一月の間食べさせる、と言われます。彼らのために羊の群れ、牛の群れをほふっても、彼らに十分でしょうか。彼らのために海の魚を全部集めても、彼らに十分でしょうか。」主はモーセに答えられた。「主の手は短いのだろうか。わたしのことばが実現するかどうかは、今わかる。」

民11：31－34「さて、主のほうから風が吹き、海の向こうからうずらを運んで来て、宿営の上に落とした。それは宿営の回りに、こちら側に約一日の道のり、あちら側にも約一日の道のり、地上に約二キュビトの高さになった。民はその日は、終日終夜、その翌日も一日中出て行って、うずらを集め、――最も少なく集めた者でも、十ホメルほど集めた――彼らはそれらを、宿営の回りに広く広げた。肉が彼らの歯の間にあってまだかみ終わらないうちに、主の怒りが民に向かって燃え上がり、主は非常に激しい疫病で民を打った。こうして、欲望にかられた民を、彼らがそこに埋めたので、その場所の名をキブロテ・ハタアワと呼んだ。」

彼らは鳥を食べるや否や、うずらによる集団感染症の疫病で大勢死にました。まさに鳥インフルの発想原点がこれです。

Chapter 26

新型コロナは酒とタバコの煙に弱い？

聖書のダビデ王が犯した罪、それは日々守られる神様の助けを忘れて、神様よりも軍隊の数が多いことに安心と誇りと信頼を置いた不信仰のため、災いが起こりました。疫病パンデミックです。そしてその解決法がいけにえを祭壇上で焼くことでした。最も一番大切なことは、ダビデの真剣な悔い改めですが、しかし、ここに疫病退散のヒントが提示されているのかもしれません。

カギは祭壇上に大量発生した煙です。

Ⅱサム24：1－3「さて、再び主の怒りが、イスラエルに向かって燃え上がった。主は「さあ、イスラエルとユダの人口を数えよ。」と言って、ダビデを動かして彼らに向かわせた。王は側近の軍隊の長ヨアブに言った。「さあ、ダンからベエル・シェバに至るまでのイスラエルの全部族の間を行き巡り、その民を登録し、私に、民の数を知らせなさい。」すると、ヨアブは王に言った。「あなたの神、主が、この民を今より百倍も増してくださいますように。王さまが、親しくこれをご覧になりますように。ところで、王さまは、なぜ、このようなことを望まれるのですか。」

Ⅱサム24：11－25「朝ダビデが起きると、次のような主のことばがダビデの先見者である預言者ガドにあった。「行って、ダビデに告げよ。『主はこう仰せられる。わたしがあなたに負わせる三つのことがある。そのうち一つを選べ。わたしはあなたのためにそれをしよう。』」

ガドはダビデのもとに行き、彼に告げて言った。「七年間のききんが、あなたの国に来るのがよいか。三か月間、あなたは仇の前を逃げ、仇があなたを追うのがよいか。三日間、あなたの国に疫病があるのがよいか。今、よく考えて、私を遣わされた方に、何と答えたらよいかを決めてください。」

ダビデはガドに言った。「それは私にはは非常につらいことです。主の手に陥ることにしましょう。主のあわれみは深いからです。人の手には陥りたくありません。」すると、主は、その朝から、定められた時まで、イスラエルに疫病を下されたので、ダンからベエル・シェバに至るまで、民のうち七万人が死んだ。御使いが、エルサレムに手を伸べて、これを滅ぼそうとしたとき、主はわざわいを下すことを思い直し、民を滅ぼしている御使いに仰せられた。「もう十分だ。あなたの手を引け。」主の使いは、エブス人アラウナの打ち場のかたわらにいた。ダビデは、民を打っている御使いを見たとき、主に言った。「罪を犯したのは、この私です。私が悪いことをしたのです。この羊の群れがいったい何をしたというのでしょう。どうか、あなたの御手を、私と私の一家に下してください。」

その日、ガドはダビデのところに来て、彼に言った。「エブス人アラウナの打ち場に上って行って、主のために祭壇を築きなさい。」そこでダビデは、ガドのことばのとおりに、主が命じられたとおりに、上って行った。アラウナが見おろすと、王とその家来たちが自分のほうに進んで来るのが見えた。それで、アラウナは出て来て、地にひれ伏して、王に礼をした。アラウナは言った。「なぜ、王さまは、このしもべのところにおいでになるのですか。」そこでダビデは言った。「あなたの打ち場を買って、主のために祭壇を建てるためです。神罰が民に及ばないようになるためです。」アラウナはダビデに言った。「王さま。お気に召す物を取って、おささげください。ご覧ください。ここに全焼のいけにえのための牛がいます。たきぎにできる打穀機や牛の用具もあります。王さま。このアラウナはすべてを王に差し上げます。」アラウナはさらに王に言った。「あなたの神、主が、あなたのささげ物を受け入れてくださいますように。」しかし王はアラウナに言った。「いいえ、私はどうしても、代金を払って、あなたから買いたいのです。費用もかけずに、私の神、主に、全焼のいけにえをささげたくありません。」そしてダビデは、打ち場と牛とを銀五十シェケルで買った。こうしてダビデは、そこに主のために祭壇を築き、全焼のいけにえと和解のいけにえとをささげた。主が、この国の祈りに心を動かされたので、神罰はイスラエルに及ばないようになった。」

カリフォルニア大学ロサンゼルス校の研究グループ論文によれば、呼吸する際に鼻や口から吸い込んだ空気を気道を経て肺に運びますが、タバコ煙にさらされた気道は、ウイルス感染した細胞を2～3倍多く発見。喫煙者の気道はウイルスや細菌を防御するバリア機能が弱くなっていて、新型コロナウイルスを外へ排出しにくくなっていると言います。

タバコはバリア機能を弱めるだけでなく、喫煙者の免疫系の一部をブロックし、より新型コロナで重症化しやすくさせていると考え「タバコは百害あって一利なし」の定説を主張。ＷＨＯもこの意見を支持しています。

しかし、正反対の意見もあります。喫煙者が新型コロナにかかりにくい仰天説です。日本製イベルメクチンを全面否定する悪徳製薬会社のワイロ漬けになっているＷＨＯの意見がいつもあてにならないのはご存じの通りです。

世界各国で、感染者には、タバコ喫煙者の割合がかなり低いという発表が相次いでいます。例えば、喫煙者率13・８％の米国で感染者７１７２人を対象に実施された調査では、喫煙者数は明らかに少ない96人（１・３％）に留まっています。

別の研究チームによる４１０３人を対象とした調査でも、少ない２１２人（５・１％）。米国の医学誌「ニューイングランド医学ジャーナル」発表論文には、中国で感染者における喫煙者の割合が掲載され、中国の感染者１０８５人中の喫煙者の割合が12・６％であり、中国の喫煙者率27・７％の約半分という結果です。

このほか、フランス、ドイツ、韓国でも喫煙者率よりも、感染者中の喫煙者の割合は低いという調査結果が報告されています。

フランスでは、新型コロナウイルス感染症の予防や治療にニコチンが利用できるかについて、臨床試験が始まりました。パリのピティエ・サルペトリエール病院の調査では、入院患者３４３人に対して、喫煙者は15人と４・４％。フランス全体の喫煙者率32・９％に対して圧倒的に少なく、研究チームは、この結果は統計的に有意であるとして、喫煙者は感染から守られると結論づけました。ウイルスはヒトの細胞の表面にある受容体と結合して細胞内に侵入して増殖し、さまざまな症状を引き起こしますが、同病院の研究チームでは、ニコチンが受容体に付着して、ウイルスが細胞に侵入拡散するのを阻止する可能性があると提唱しています。

なんとも、意外なニュースですが、ダビデは7万人クラスターレベルの疫病蔓延の只中で、主のために祭壇を築き、全焼のいけにえと和解のいけにえとをささげました。そして、その後、疫病が全面終息したことは何かのヒントではないだろうか。すなわち喫煙のようにそこにはいけにえの焼かれた煙が祭壇から立ち上り、もくもくと周囲一帯を満たしていたのです。

ただし、歩行喫煙で800度の高熱がすれ違う子供たちの顔の高さに触れるリスクは厳禁です。他人に危険な歩行喫煙に関して、聖書に以下のような肺病リスクを警告しています。

イザ50：11「見よ。あなたがたはみな、火をともし、燃えさしを身に帯びている。あなたがたは自分たちの火のあかりを持ち、火をつけた燃えさしを持って歩くがよい。このことはわたしの手によってあなたがたに起こり、あなたがたは、苦しみのうちに伏し倒れる。」

しかしながら、煙と疫病退散の因果関係は、無視できないレベルの統計値です。ロンドンの大疫病とは1665年から1666年まで続いたイングランドで起こった現在の歴史上、ネズミやノミを媒体に最後のペストが大流行しました。ロンドンの大疫病では18か月で当時のロンドンの人口の1／4である10万人の死者が発生したと推定されています。ところが、1665年9月にロンドン大火でロンドン市の大半は破壊され、火災が疫病を終わらせると信じる人々も一部にいた通り、疫病ペストも鎮火と同時期に完全終息しました。歴史はいつも歪曲されるもので、真相は確かではありませんが、もしや、大火災による煙も疫病排除に一役買っていたのでしょうか？

I歴21：26－28「こうしてダビデは、そこに主のために祭壇を築き、全焼のいけにえと和解のいけにえとをささげて、主に呼ばわった。すると、主は全焼のいけにえの祭壇の上に天から火を下して、彼に答えられた。主が御使いに命じられたので、御使いは剣をさやに納めた。そのとき、ダビデは主がエブス人オルナンの打ち場で彼に答えられたのを見て、そこでいけにえをささげた。」

ダビデ王が祭壇を築き、全焼のいけにえと和解のいけにえとをささげて煙の中で祈った時、疫病が退散したように、今おすすめは、たばこを吸うことではなく、アロマテラピーか、香りのよい芳香用線香をお部屋に焚くとかありかな？　もっといいのは祈りと賛美の香を、神様に捧げましょう。そして悔い改めの祈りも素晴らしく、新型コロナ退散の奇蹟を起こします。

また、少量の日本酒を飲むことで体内に有用な5ALAと、ミエロペルオキシターゼ酵素が増産され、酸化グラフェン分子を分解排出できます。政府主導の酒類提供禁止は、意図的な陰謀だったのです。

Chapter 27

ファイザーワクチンの治験完了は２０２３年５月、つまり今がまさに治験中！

予防接種ＢＣＧワクチン接種効果

新型コロナの感染や致死率と結核の予防接種ＢＣＧワクチン接種の関連を否定する人々もいますが、統計を見れば因果関係おおありであることは明らかです。

私たちが小学生の時に受けた細い９本の針を皮膚に押しつけるスタンプ方式の予防接種、結核の予防接種とされていましたが、決して無駄ではなかったのです。今回のような悪人たち主催によるワクチンと言ってもすべてが悪いのではないです。

よる毒入りワクチンは例外的に悪いだけです。

人口１００万人あたりの死者数でみれば、よりクリアに相関が浮かびます。

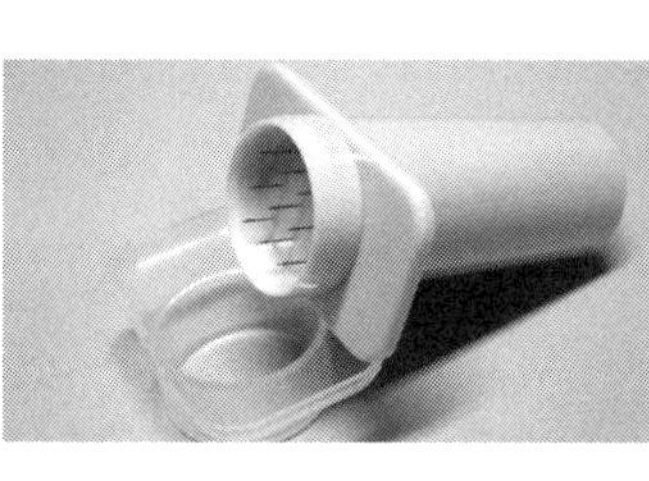

人口１００万人あたりの死者数は、ＢＣＧワクチンの集団接種を行ったことがない米国が２２７人、イタリアが４９０人。過去に広く接種していたものの現在はしていないフランスは３９６人、スペインは５５３人。

ところが一方、ＢＣＧワクチンを広く接種している中国は３・２人、韓国が５・０人、日本は４・４人。台湾に至っては０・３人にとどまる少なさ。台湾とスペインでは１８００倍超の差がある計算です。闇組織も東洋人を大量に人口削減したかったようですが、いつも計算通りにはなりません。おおむね東洋人は、用意周到に真面目で案外賢いのです。

RNAワクチンを受けたヴァン・ウェルバーゲン医師の患者の血液分析

確かにRNAワクチンを受けた人の血液は画像で明らかなように毒で汚染され

ているようです。危険なものが血液に入って来て、赤血球はそれに、必死に反応していています。そして形が変形してきています。赤血球が変形し、塊になってしまったら、それらは働くことができません。赤血球の主な役割は、体中のすべての細胞に酸素を運ぶことです。だからワクチンを接種した人々に、疲労感、めまい、体調不良、精神不安定が起きているのは当然の体内酸欠症状なのです。しかし、奇蹟的に少しも変わった様子なく大丈夫であれば幸いです。その人には神様の守りがあったようです。

黙3：10「あなたが、わたしの忍耐について言ったことばを守ったから、わたしも、地上に住む者たちを試みるために、全世界に来ようとしている試練の時には、あなたを守ろう。」

ワクチンは最初から受けないほうが絶対いいと思います。しかし、すでに受けてしまい不安となり、後悔している方が意外に多いです。私の所にも接種以降、体調悪化で悩める人々が幾人も相談に来ています。体に磁力を帯びたようで、磁石や鉄のクリップが体に張り付くようになったという方や、体へのしびれや、異音が聞こえる現象が止まらないなど、体調不良を訴える声を聞いています。

私の知り合いのある家族は、ワクチン２回受けた夫がコロナにかかって咳と熱症状がでましたが、共に住むワクチンを受けていない家族は全員ＰＣＲ検査で陰性でした。特に６６６マイクロチップが混入していないか心配している人がいます。私の考えでは、現段階では、まだ入れてないと思います。

現在特例承認されているワクチンは全て治験中の人類初の遺伝子ワクチンであり、ファイザーワクチンは米国ＮＩＨでの治験完了は２０２３年5月2日です。治験とは、人体実験です。治験とは、濃度や内容物をさまざまな種類で、ずらしながら個別実験して効果を調べる段階です。つまり被験者は、ワクチンを受けた一般の人々です。

情報整理のため接種者にはすべて個別の番号が付いています。ある人は濃度の薄いワクチン。ある人は高濃度のワクチンなど内容物が違います。追跡調査で効果確認目的、新薬開発の情報収集です。だから、受けた人によっては、「なんともなかったよ」という人もいれば、「体調の異変がひどい。いつまでも回復しない」というケースや死亡者まで大勢います。まさにロシアンルーレットです。ロシアンルーレットは、回転式拳銃リボルバーに1発だけ実弾を装填し、適当にシリンダーを回転させてから自分の頭に向け引き金を一人ずつ引く悪魔のゲームです。

熊本市内某病院にワクチン接種に行き、問診で薬アレルギーがあるという話をしたら、

「アレルギーのある人は打ってはいけません。もう100人くらい亡くなってます。今回はやめて不活性ワクチンが出来るのを待ってください」

と言われたそうです。

体質の違い、持病の影響、アレルギー体質、そしてこのような内容物の違いがあるため、反応もみんな違うのです。池上彰はテレビの有名人のため、ワクチンを受けた後、体調は優れて、もっと良くなった感じとの発言をされたようですが、

人によっては影響力絶大な発言者には脳内快楽物質のドーパミンをピンポイントに混入させて投与している可能性もあります。まさか、そこまでと思いますが、敵はそこまで悪賢くやります。過去にも有名人に限ってピンポイント的にコロナにかかり、その身近な認知度を高め、民衆の恐怖心からワクチン接種へと誘っています。ワクチンは莫大な富を生み出す彼らの専売的な利権商売なのですから。

今回のワクチンはまだ、一般的にはナノチップは入っていないと思います。運悪く、実験として選ばれてネフィリムワクチン入りを投与された女性が、毛深くなった、ゾンビ的に放心して、凶暴な性格になったというケースもありますが。

無論、治験ですからドーパミンを入れようが、ネフィリムの培養ＤＮＡを入れようが、彼らの自由であり、企業秘密の治験の名の下でうやむやになり、調べることもできず、訴えもできない巧妙な悪行システムです。しかも、ワクチンを医療機関等の接種会場で適切に保管・管理できるよう、超低温冷凍庫のマイナス75℃対応ディープフリーザーでないと使えない細工システム上、内容物を常温で容易に検査できません。マイナス75℃のねらいは、もともとそこです。内容物検査させないための超低温冷凍保存だったのです。それが解禁されて今は徐々にその内容物が判明してきたのです。

このワクチンこそ聖書預言６６６の刻印なのか、と心配する方いますが、大丈夫です。将来のマイクロナノチップ入り６６６刻印はこんなレベルのものではないです。

将来、必ず現われて強要される６６６刻印は、生活のために自発的に反キリストに従う決断を下して、神様であるイエス・キリストを拒んだ人々が受けることになります。手順は反キリストの指示のもと、麻酔で人を眠らせ、次に額に針金のような装置を付けてから、大きな「知性消滅機」と書かれたＣＴスキャンの機械のようなものに寝かされて、これを受けて後、脳内の一部が欠損して改造され、知性を失ったゾンビとなり、反キリストに従う奴隷になるのです。

その後、反キリスト指示で、彼と直接、会話できる小さな送受信機のようなものをブラウスの襟に付けられて、全財産を捧げる契約書にサインさせられ、ゾンビになった彼らの家には大兄弟、ビッグブラザーと呼ばれる監視システムが設置されます。刻印を受けた人々は、もはや喜びも愛も悲しみも感じられず、必要最低限の物資だけ与えられて朝から晩まで反キリストの目的のため働かされます。

最近、ゲームや映画、ＣＭなど、大量のゾンビたちが町を歩き回る映像、やたら目につきませんか？　あるいは、日本でもアメリカでも個人の生活を定点監視カメラでライブ配信する下劣な深夜番組を見かけたことありませんか？　１９８４年から始まったアメリカにおけるこれらのテレビ番組名はビッグブラザー。闇組織は自分たちのしようとしている悪事を事前に告知してから、本当に行う連中なのです。

悪魔が実在しますが、本当に愛の救い主イエス・キリストという良い神様もおられます。将来の本物の６６６刻印について、知性消滅機にかけてもクリスチャンたちだけは、それがかからないと書いています。聖書の言葉を信じてください。ワクチンは毒です。

マルコ16：17－18「信じる人々には次のようなしるしが伴います。すなわち、わたしの名によって悪霊を追い出し、新しいことばを語り、蛇をもつかみ、たとい毒を飲んでも決して害を受けず、また、病人に手を置けば病人はいやされます。」

メキシコ大統領アンドレス・マヌエル・ロペス・オブラドールの警告です。
「気をつけないといけません！　というのはむろんのことなのですが、製薬会社はビジネスをしたいので、常に皆さんにワクチンを売りつけたいと思っています！　そこで優先順位をつけて、必要かどうかを判断しなければなりません。私たちは製薬会社のいいなりになってはいけません。製薬企業は、３回目の接種が必要だとか、４回目の接種が必要だとか言ってきます」

ＲＮＡワクチンを打っていない人の血液は、赤血球が綺麗な丸形、中央が濃い色になっている正常な状態です。それぞれの間隔の開き具合も良く、その間に破片や、物質はありません。しかし、モデルナワクチンを接種した人から採血した

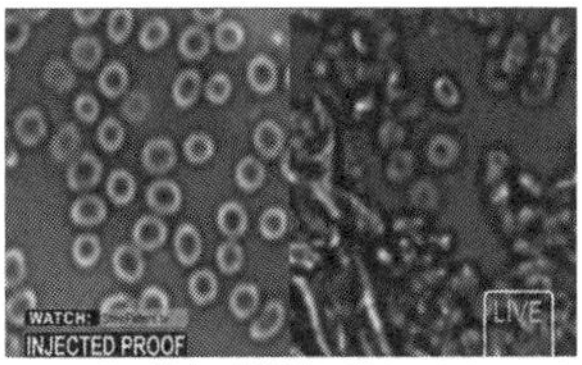

これは同じ倍率の顕微鏡で見られたものです

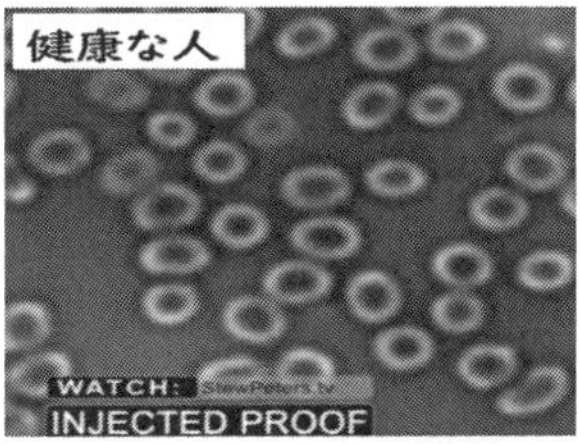

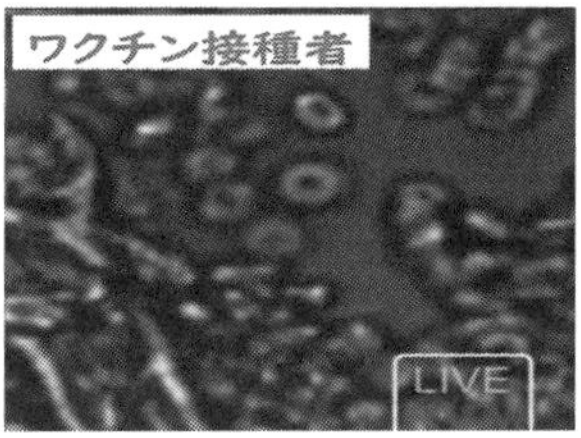

血液の検査結果は、赤血球の形が崩れ、きれいな丸形をしていない。赤血球の中央は破壊され、粘着性を持ってお互いを引き寄せ塊を作り始めています。これが何故、ファイザーとモデルナだけが血栓を起こすのか？　危惧しています。これが神経細胞に到達すると、脳卒中、心臓発作、心筋炎が起き、疲労感もあります。ギアン・バレー症候群や、多発性硬化症などの神経筋障害も引き起こします。これらの解析は、ワクチンの中身を科学的に分析しても、分かるものではありません。人々の体調が悪くなっているその理由を、知ることはとても大切だと思います。

私たちは、ワクチン会社が何故、このことに対して沈黙を押し通すのか？　明らかな理由があると考えています。彼らは誰にも話したくない。自らの行いに対する責任も、賠償責任も否定している。ギラン・バレー症候群や、多発性硬化症になっても、保険会社は支払わない。説明できない障害を負うようになった人たちがいるのです。

ルカ13：1－3「ちょうどそのとき、ある人たちがやって来て、イエスに報告した。ピラトがガリラヤ人たちの血をガリラヤ人たちのささげるいけにえに混ぜたというのである。イエスは彼らに答えて言われた。「そのガリラヤ人たちがそのような災難を受けたから、ほかのどのガリラヤ人よりも罪深い人たちだったとでも思うのですか。そうではない。わたしはあなたがたに言います。あなたがたも悔い改めないなら、みな同じように滅びます。」

これは、ガリラヤ人たちが礼拝でいけにえの動物を捧げようとしたところ、何らかのトラブルがあり、ピラトの怒りを買ったガリラヤ人たちがその場で殺されたようです。その人の血がいけにえの動物の血に混ざったという報告です。イエス様はこれを「災難」と言われました。祭壇上のいけにえは純粋な混じりけのない動物の血でなければならないのです。人間の血がミックスすることは神様に受け入れられない災いです。人間の純粋であるべき血液に不純なワクチンが混入し、しかも遺伝子さえも書き換えるなどとは前代未聞の「災難」です。神様に受け入れられない災いです。

Chapter 28
超秘密内容物入りワクチン、ここまで恐ろしいとは⁉

４社ワクチンに酸化グラフェン、日本採用のファイザー製には寄生虫まで発見！

元ファイザー職員カレン・キングストンがワクチンには酸化グラフェンが含まれることを暴露しましたが、その酸化グラフェンにスマホを近づけて電磁波を照射すると、５Ｇスマホの電磁気が強力なため、磁性を持った酸化グラフェンが、不気味に動く動画が多数アップされています。酸化グラフェンとは、生体細胞の機能を破壊する細胞毒性を持ち、生体内で血栓を作り、酸化バランスを崩し、免疫システムに変化を引き起こします。

スペインの大学の Pablo Campra 教授は、酸化グラフェンという物質のナノ粒子が、現在販売されている不織布マスクやPCR検査の綿棒、2019年以降のインフルエンザワクチン、COVID－19用のすべてのmRNAワクチンに含まれていて、「酸化グラフェンこそが、SARS－COV2と呼ばれているものであり、新型コロナウィルスと思われているものであり、COVID－19という病気を引き起こしているものなのです」と断言します。

さらに、世界的に著名な臨床科学者ロバート・ヤング博士が4社の新型コロナワクチンの成分を分析すると、酸化グラフェン以外にファイザー製ワクチンには、「寄生虫」を確認しました。博士は、体に毒物を入れるのは止めなさいと警告しています。

彼と研究者チームも、透過型・走査型電子顕微鏡、位相差顕微鏡、Ｘ線分光法を用いて、緊急使用許可中の４社のワクチンすべてに含まれる酸化グラフェンを特定しました。ファイザー社、モデナ社、アストラゼネカ社、ジョンソン・エンド・ジョンソン社の４社のワクチンに含まれる申請内容にないものを特定したため、ＦＤＡが２週間以内にこの酸化グラフェンや寄生虫に関する弁明を求めているところです。チームは、アルミニウム、ステンレス、ビスマス、酸化グラフェンをちりばめた脂質ナノ粒子キャプシド、そして寄生虫のクルーズトリパノソーマなど、さまざまな種類のワクチンに含まれるものを確認しました。日本政府が異物をステンレスと特定しましたが、その研究プロセスには疑問が残ります。異物混入のワクチンから若者の死者がでているのに、なぜ、規制機関である厚労省がＦＤＡのように真相究明に乗り出さないのでしょうか。

博士によると、ファイザーのワクチンにはトリパノソーマというエイズやアフリカ睡眠病の原因にもなる寄生虫が確認されました。これは世界一危険な寄生虫ランキングのＴＯＰ２にランクインするほど危険であり、他の生物組織を破壊し、血液やリンパを吸う極めて致死率が高い寄生虫です。アフリカ睡眠病、別名ヒ

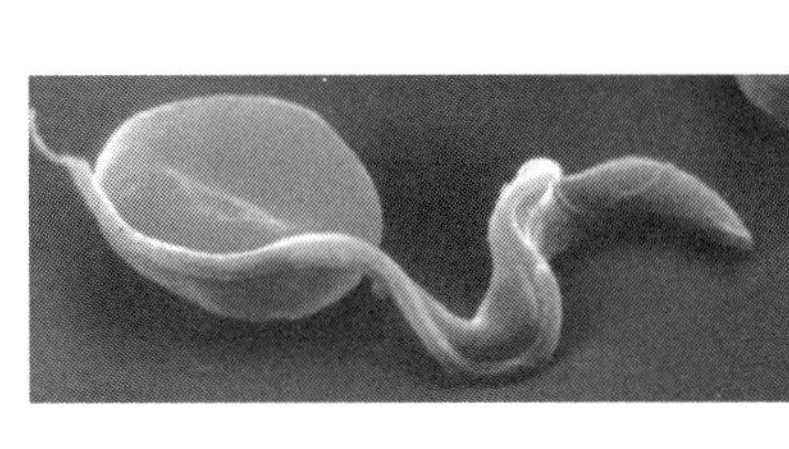

ト・アフリカ・トリパノソーマ症は、睡眠病としても知られる睡眠状態が数か月も続いて衰弱死する寄生虫感染症です。この原虫は、通常は、感染者やヒト病原性寄生虫を保菌する通称ゾンビ蝿と呼ばれるツェツェバエ（Glossina属）に刺されて人に伝播します。ところがゾンビ蝿のパワーが最初からファイザーワクチンにちゃんと入っていると、世界的に著名な権威の臨床科学者が指摘したのです。なんということでしょうか。

このゾンビ蝿の持つトリパノソーマが人の免疫システムを騙して、宿主の脳や脊髄まで感染が進み、人の免疫システムが抗体を作る前に別の1000個の遺伝子を使ってアイデンティティを変化させ、さらに新しい抗体を作らせる方法で免疫システムを錯乱させる性質を持つそうです。

なるほど、よく分かりませんが、ワクチン接種でゾンビになるとは、このゾンビ蝿が発想の起源なのでしょうか。

聖書では、イエス様が十字架で死なれた時、大地震が起き、岩が避け、墓が開いて、死んでいたクリスチャンたちが大勢復活してエルサレムの多くの人々に現れたと書かれていますが、きっとあの人たちがゾンビ発想の原点かと思います。

マタ27：50－53「そのとき、イエスはもう一度大声で叫んで、息を引き取られた。すると、見よ。神殿の幕が上から下まで真二つに裂けた。そして、地が揺れ動き、岩が裂けた。また、墓が開いて、眠っていた多くの聖徒たちのからだが生き返った。そして、イエスの復活の後に墓から出て来て、聖都に入って多くの人に現れた。」

モンタニエ博士は、ＲＮＡコロナワクチン接種は次世代に影響を与える。エピジェネクス（遺伝子制御機構）に影響を与えるので、脳のプリオン形成（狂牛病）に至る恐れがあるとも語ります。さらに、ＰＣＲ検査に用いる綿棒には、米国国防高等研究計画局（ＤＡＲＰＡ）のヒドロゲルが仕込まれていると指摘しています。

ということは、博士たちの意見を統合すると、RNAワクチン接種で最悪エイズになって、ゾンビになって、狂牛病にもなるのですか？　最後は眠い。

リー・メリット博士の警告文

「コロナウイルスワクチンは人々に対して配備されている危険な生物兵器であると確信している」「これは完璧なバイナリー兵器（二種類の化学物質が容器内に物理的に隔離された状態で同梱されている兵器）です。」

「もし、生物兵器研究者としての私が、他国で軍隊を倒したいと思ったなら、それが自然界に存在しないことを知っているRNAを作るだけです。誰もそのワクチン接種で死ぬことはありませんが、2年後に何かを放出します。それは免疫増強死を引き起こします」

ビル・ゲイツの財団やGSKバイオロジカルでワクチン開発責任者ドイツ感染症研究センター部長のワクチン推進派ギアート・バンデンボッシュ博士が告発し

ます。

「1回でもRNAワクチンを体内に入れてしまえば二度と元の体には戻れない。人工ウイルスの抗体は出来る。しかし自然ウイルスに対して自然免疫を失うことになり、3年は生きられない。RNAワクチン接種で自然ウイルスによる風邪を自分の免疫で治せない」

最新情報では、イギリスもイスラエルもワクチン接種者の感染者数が非接種者を上回りました。イスラエルでワクチン接種者の致死率も非接種者を上回りました。

ファイザーの4万人以上の追跡調査では、ワクチン接種者の感染致死率は非接種の12倍と判明しています。もはや、何のためにワクチンを受けるのでしょうか？

スーパーで購入する食品さえ、鮮度や賞味期限、化合物表示など細心の注意を払うのに、口以上に人の命である血管に直接入れる新型ワクチンをどうして盲目的に信じて内容物さえ開示されていないのに受け入れられるのでしょうか。

と言ってもすでに受けられた方や御家族もおられると思います。悪いのは受けた方ではなく、悪い毒をもった連中です。

問題は今後も製薬会社は変異種が出たから新型ワクチン対応だと言いながら繰り返しのワクチン接種を呼びかけますが、もう打たないことです。毒素を除くよう太陽光を浴びて運動して人間本来の免疫力を高めることです。寄生虫トリパノソーマ駆除のためイベルメクチンを飲むこともお勧めします。どんなワクチンよりも人間本来の持つ免疫力のほうが圧倒的に強いのです。

Chapter 29

こうしてゾンビ化計画が進行中！

塩野義ワクチンは昆虫細胞遺伝子を組み込んでいる

医療情報総合研究所のデータによると、1月のインフルエンザ患者数は、16年～20年の直近5年間の1月平均と比較して1000分の1。インフル患者数は例年、1月に急増し、2月にピークを迎えますが、16年以降の1月のインフル患者数は、2016年2万7129人、2017年8万5539人、2018年12万6445人、2019年15万4022人、2020年5万1997人、2021年87人、今年のインフル患者が極端に少ないです。それは例年のインフル患者が、新型コロナ患者と不正に取り替えてカウントされたからでしょう。

アメリカでは、トランプ潰しのため積極的に疑わしきインフル患者をすべて新型コロナ患者と認定するようバイデン民主党が指示を出し、従う病院には入院させて呼吸器をつければ患者一人当たり500〜600万円が補助金として出たため、当時、誰も彼も死因は新型コロナとなりました。日本でもインフル激減、新型コロナ激増は捏造進行中です。ファイザーはビル・ゲイツが出資し、モデルナはジョージ・ソロスが出資しています。ワクチン販売で儲けたい汚れた製薬会社と出資者たち。2回目ワクチンの次は塩野義製薬ワクチン登場です。日本製だからと騙されてはいけません。それは昆虫細胞をあらかじめ培養で増やしてスパイク蛋白質の遺伝子を組み込んだ遺伝子組み換えバキュロウイルスです。

悪魔は人間の命である血液を変質させて汚したいのです。塩野義製薬ワクチン、それはまさにノアの大洪水までの時代、行われていた堕天使たちのキメラ生物創造の悲劇再来です。堕天使200人はノア以前、自分たちの遺伝子と昆虫の遺伝子を掛け合わせる生態実験を繰り返して、人間のような体形で虫サイズの羽をもつ異常なハイブリッド生き物を多数作りました。蝶々や、トンボや鳥の羽をもつ小人たちです。それが後の時代、ありえない妖精伝説を生みました。

マタ24：37「人の子（イエス・キリスト）が来る（世界の終わりと、天国の始まり）のは、ちょうど、ノアの日のようだからです。」

塩野義ワクチンは「遺伝子組み換えタンパクワクチン」と呼ばれ、新型コロナの遺伝子の一部を基に昆虫細胞でタンパク質を培養して作るもので2022年には6000万人に供給が可能だそうです。昆虫細胞からのタンパク質は、いらない。製薬会社はいつも余計なお世話です。

大阪大学日本医療研究開発機構の発見ですが、抗体依存性増強という症状があり、それはワクチン接種者が新型コロナ感染すると、感染を防ぐ中和抗体だけでなく、感染を増強させる抗体が産生され、感染増強抗体が新型コロナのスパイクタンパク質の特定部位に結合し、抗体が直接スパイクタンパク質の構造変化を引き起こし、新型コロナの感染性が高くなると判明しました。ですから、今後、ワクチン接種者の体内で抗体に鍛えられた増強ウイルスがワクチンしていない人々に拡散されます。まるでゾンビがゾンビを生むかのようです。

Hal Turner氏の発表によると、ロシアハッカーがダークウェブでワクチン接種者のバイタルサインや正確なＧＰＳ座標、寝起きなどリアルタイムでアップロードされているデータベースを発見しました。第5世代移動通信システムによって追跡されています。

彼らは送信機となり、人の内部のファームウエア、ＣＰＵ情報、プロセッサの正確な情報もＡＩ受信機に送信して表示されています。政府が追加ワクチンを推奨する理由は体内の酸化グラフェン濃度をいつも高め、より精度高い個人データ把握のためです。

Part

世界を
断固として壊す
——その強固な
意志の源泉を探る!

Chapter 30

ジョン・ロックフェラー、初代当主は、聖書利用で大富豪となった!?

国際社会、皆が日本人的発想で親切ではないです。もっと世界を知らなければならないです。賢くならなければ、敵にやられてしまいます！　先述のスティーブ・クウェイル氏の指摘通り、中国共産党はアメリカでも日本でも家も土地も乗っ取りを工作しています。北海道では、貴重な水源地のある土地を広大に買いあさって、日米軍事基地のある隣地も買いあさっています。個人個人は親切でも、内なる思想と国家戦略は恐ろしいです。

出2：1－3　「さて、レビの家のひとりの人がレビ人の娘をめとった。女はみごもって、男の子を産んだが、そのかわいいのを見て、三か月の間その子を隠しておいた。しかしもう隠しきれなくなったので、パピルス製のかごを手に入れ、それに瀝青と樹脂とを塗って、その子を中に入れ、ナイルの岸の葦の茂みの中に置いた。」

モーセ誕生の記録です。エジプトでヘブル人に対する人口削減計画が実行された時、母はモーセをパピルス製のかごに入れて救いました。この聖書記述によると、そのかごには防水加工用に「瀝青と樹脂」が塗られました。ある会社の重役がこの聖書箇所を読んで驚きました。

「古代エジプトではナイル川流域に油田があった！」

なぜなら「瀝青」は英語でピッチ（pitch）ですが、それは石油の「原油」を意味する言葉です。別訳では「アスファルト」ですが、石油からの蒸留残留物であり、古代には壁面のつぎ目に使用したギリシャ語で asphalton も見て、古代エジプトの地下には油田があったことを確信しました。

早速、掘削するためにエジプト政府の許可と友人に出資を求めました。しかし、会社も友人も猛反対。なぜなら当時、常識ではエジプトに石油はないと考えられていたからです。しかし、この重役は聖書を心底信じて無理に押して地質学者であるチャールズ・ウィットショット一行の調査団をエジプト現地へと派遣したのです。その後、彼はモーセの母親がパピルス製のかごを作ったと推測されるナイル川周辺で試掘し、油田探査に着手した結果、石油層を掘り当てて大規模な油田を発見しました。こうして大財閥になったのが、石油王と名高いジョン・ロックフェラー初代当主の台頭です。

1870年6月には、弟の「ウィリアム・ロックフェラー」と共に「スタンダード・オイル・オブ・オハイオ」製油所を設立し、アメリカ屈指のガソリン・ケロシンを生産する大企業に成長させました。ですから、とにかくガソリンを売りたいのです。世界には私たちの知らないうちに隠ぺいされ、世に出なかった優れた発明や技術が沢山あります。

18世紀末に車は全てアルコール燃料でした。農家はサトウキビやトウモロコシなどあらゆる穀物から簡単に燃料用アルコールを自家製で作ることができ、農作業車に使用していました。

量産車第一号フォード・モデルTも、英語版ウィキペディアで当初はガソリンとアルコール燃料のエタノールの両方で走ることができたとあります。ところが石油財閥のロックフェラーはガソリン車を普及させようと工作します。

酒乱の夫が妻に暴力をふるった事件をネタ元に資金援助で政界や教会さえも動かし、世論操作でアルコール製造及び販売を禁じる禁酒法を制定させました。無論、教会は禁酒法案に大賛成でした。

クリスチャンも見分けなければ熱心だけで悪魔の側についていることもあるのです。

ヘンリー・フォードは、禁止するのは飲用アルコールのみで、産業用アルコールは除外しようと主張しましたが、裏でつながるマフィア幹部アル・カポネが、この世紀の悪法のおかげで密輸酒の独占販売で大儲けしてはキックバックしていたため、背後のマフィア勢力に守られてガソリン車が主流と時代は変わりました。隠ぺいされたエタノール車の走行距離は1ガロンで34マイル。平均燃費がリッター12キロです。初期の復元フォード・クラシックカーのマニア談によると当事の物はリッター数キロと燃費が悪く、そんな性能が低い時代にリッター12キロはかなりの低燃費だったようです。ガソリン車の4倍から6倍も走る上に、エタノール自体も農家にとって穀物由来ゆえタダ同然です。しかもエタノール車に比べてガソリン車はエンジン内部の汚れもひどく、廃棄ガスも有害です。私たちはこうして、環境問題、エネルギー問題、お財布事情など、何も知らないうちに損し、本来の豊かさを無駄に搾取され続けています。

ロックフェラー1世財閥は真実の書、聖書が宝の地図であることを知った以上、今や聖書研究に余念がないです。そこで、更なるお宝発見につながる啓示の言葉を探し求め、新たに注目された記述が「イスラエルにも油田がある」という聖書預言でした。

アメリカのクリスチャンテレビ番組の「プロフェスィー・イン・ザ・ニュース」によると、イスラエルが自国の領海内の地中海に大油田を発見！　この大油田発見のニュースをメディアは伝えていませんが、間違いなくイスラエルは大油田もしくは大ガス田を地中海に発見したとのこと。実はこの大油田発見は、かねてより聖書情報を知る人々によって認識され、待望されていた聖書預言の実現でした。

創世記49：22－25　「ヨセフは実を結ぶ若枝、泉のほとりの実を結ぶ若枝、その枝は垣を越える。弓を射る者は彼を激しく攻め、彼を射て、悩ました。しかし、彼の弓はたるむことなく、彼の腕はすばやい。これはヤコブの全能者の手により、それはイスラエルの岩なる牧者による。あなたを助けようとされるあなたの父の神により、また、あなたを祝福しようとされる全能者によって。その祝福は上よりの天の祝福、下に横たわる大いなる水の祝福、乳房と胎の祝福。」

ここで「下に横たわる大いなる水の祝福、乳房と胎の祝福」と表現された御言葉が「地下に横たわる大油田」を意味します！「下」というヘブル語「カハット」は「地中の深部」です。実際に「地中の深部」に横たわる大油田が発見された現場は、イスラエル12部族のうちのアシェル族とヨセフの息子から出たマナセ族の相続地沿岸です。

聖書はアシェルについても意味深な預言をしていました。

申命記33：24－25「アシェルについて言った。「アシェルは子らの中で、最も祝福されている。その兄弟たちに愛され、その足を、油の中に浸すようになれ。あなたのかんぬきが、鉄と青銅であり、あなたの力が、あなたの生きるかぎり続くように。」

「その足を、油の中に浸す」とは、油田がアシェルの相続地にあることを預言しており、「あなたのかんぬきが、鉄と青銅」の預言の意味は、現代の海底油田掘削に使う「ビット」を差します。海底下の地層掘削の際、資源探査船を海上停泊させて、そこから真下にドリルパイプの先端に「ビット」という特殊な切削ツールを取り付けて、回転させながら掘り進めます。その「ビット」が「鉄と青銅」で出来た「あなたのかんぬき」だと聖書は表現します。

門「かんぬき」とは、象形文字の漢字そのまま左右の門の扉に通す建具で、開かない様にする横棒の金物や木材です。「かんぬき」を外せば扉は開き、差し込むと開けられません。聖書通り回転する切削ツールの「ビット」ドリルから放水しながら真下に真下に掘削して、ついに大油田の扉を開いたと言うことです！

イザ45：1－3「主は、油そそがれた者クロスに、こう仰せられた。「わたしは彼の右手を握り、彼の前に諸国を下らせ、王たちの腰の帯を解き、彼の前にとびらを開いて、その門を閉じさせないようにする。わたしはあなたの前に進んで、険しい地を平らにし、青銅のとびらを打ち砕き、鉄のかんぬきをへし折る。わたしは秘められている財宝と、ひそかな所の隠された宝をあなたに与える。それは、わたしが主であり、あなたの名を呼ぶ者、イスラエルの神であることをあなたが知るためだ。」

しかし、ここで大問題発覚。そもそもイスラエルの地に大油田があっても人様の土地。国土を手に入れなければ自分の物にはなりません。そこで、時代は変わります。

ロックフェラー2世は、第二次世界大戦で油田獲得

彼が65歳の時、依然現役引退せず、第二次世界大戦を起こして、1939年から1945年まで6年間の死闘結果、戦後の1948年に自称ユダヤ人、その実ハザール人が世界中から集結してイスラエルを占領して建国宣言しました。

これは、1857年に秘密結社フリーメイソンの最高位33階級アルバート・パイクが発言していた通りの計画的な犯行でした。

「第一次世界大戦は、絶対君主制のロシアを破壊し、広大な地をイルミナティのエージェントの直接の管理下に置くために仕組まれる。そして、ロシアはイルミナティの目的を世界に促進させるためのお化け役として利用されるだろう」

「第二次世界大戦は、『ドイツの国家主義者』と『政治的シオニスト』との間の圧倒的意見の相違の操作によって実現される。その結果、ロシアの影響領域の拡張と、パレスチナに『イスラエル国家』の建設がなされるべきである」

「第三次世界大戦は、シオニストとアラブ人との間に、イルミナティ・エージェントが引き起こす、意見の相違によって起こるべきである。世界的な紛争の拡大が計画されている」

この犯行予告通り、アメリカの強大な軍事力を背景に先住のアラブ人をガザ地域まで追い出して（その大半に本物ユダヤ人が含まれていました）パレスチナ地域をまんまと乗っ取りに成功して『イスラエル国家』を建設、ジョン・ロックフェラー2世はユダヤ石油財閥として念願の大油田を手に入れました。

確かに、聖書預言はその通りになりましたが、そこには裏の悪党どもの組織的陰謀があったのも事実です。

当時、イスラエルがユダヤ人の手によって再建されたというビックニュースが多くの無実な人々の犠牲的流血も忘れられ、奇蹟の美談として語り継がれ、世の終わりが近いと諸教会は浮かれ騒ぎました。

クリスチャン、見分けなければ熱心だけで悪魔の側についていることもあるのです。

イザ44：26－28「わたしは、わたしのしもべのことばを成就させ、わたしの使者たちの計画を成し遂げさせる。エルサレムに向かっては、『人が住むようになる。』と言い、ユダの町々に向かっては、『町々は再建され、その廃墟はわたしが復興させる。』と言う。淵に向かっては、『干上がれ。わたしはおまえの川々をからす。』と言う。わたしはクロスに向かっては、『わたしの牧者、わたしの望む事をみな成し遂げる。』と言う。エルサレムに向かっては、『再建される。神殿は、その基が据えられる。』と言う。」

ロックフェラーは親子そろって石油利権獲得のためには、何でもします。石油輸送の運賃値引き強要、ライバルの切り崩し、秘密の取引、投資資金のプール、競合の製油所の買収、暗殺、戦争、何でもする。その殺人的血統は三代目も同様に引き継がれました。

ロックフェラー3世と911、311の真相

自作自演の911NY同時多発テロ事件、その真相をご存知ですか？　2001年9月11日。その一つの大きな目的はラディンとイラク大統領フセイン政権をツインタワー自爆テロの首謀者に仕立てて、戦争開戦の口実を作り、大量破壊兵器もないのにブッシュ大統領と小泉総理をかつぐ嘘メディア操作で捏造してイラク戦争を起こすことでした。

人気の伝道者ビリー・グラハム親子もイラク戦争へ向かうよう、教会と一般のアメリカ国民8割を扇動した組織の一味です。イラク戦争は神様の御心、聖戦だと騙したのです。クリスチャン、見分けなければ熱心だけで悪魔の側についていることもあるのです。そしてフセイン大統領を処刑し、石油の利権をブッシュ政権は、イラクからはく奪しました。

当時、原産国イラクはアメリカ以外の周辺諸国とパイプライン計画で石油を流す契約を締結済みでした。中国、ロシア、ヨーロッパ諸国などとの健全な貿易関係です。しかし、これが実現すれば、石油財閥ブッシュ政権と石油財閥ロックフェラーがアメリカ抜きの国際社会で孤立して儲からなくなるところでした。そのためブッシュとロックフェラーは利害関係が一致して結託し、自作自演の911NY同時多発テロ事件を起こしたのです。

結果、契約当事者フセイン大統領死刑で死去のため、周辺諸国との契約は無効とされ、うやむやのうちにイラクの石油利権はブッシュとロックフェラーのアメリカに持っていかれました。

ツインタワーは兄ネルソン・ロックフェラーと弟デイビッド・ロックフェラーの二人を表した高層ビルですが、最後は空きテナントも多く、解体費用は莫大な無用の長物となったため、テロ保険をかけて最高裁判所まで動かして、自作自演の純粋水爆で内部から溶解、巨額の保険金まで騙し取りました。

その後、２０１１年3月11日。ロックフェラーが命じて東日本大震災を人工的に地震兵器ＨＡＡＲＰ使用で起こしました。日本はロスチャイルド所有の南アフリカのウラン鉱山資源を中曽根総理の時に密約を交わし60基の原発稼働分まで輸入することになり、これを開始していました。

当時はよくテレビ嘘メディアで「原発はクリーンな未来エネルギー」などとキャンペーンして、ちょうど今のワクチン推進派の売国奴コメンテーターたち同様に原発の利点を上手に解説していました。

ウランを核兵器使用目的で輸入となっては国際世論がうるさく許さないから、マスゴミは平和目的の原発燃料だと宣伝して大量輸入が始まりました。

そのため化石燃料の石油を大量に輸入して燃やす日本の最大手市場が失われ、火力発電主流から原子力発電主流の流れで石油の需要縮小、加えてガソリンがかからない低燃費のプリウスのようなハイブリッド車がアメリカでも大ブレイク、このことがロックフェラーには耐えられませんでした。

そこで311地震を計画的に起こして、複合的災害の一環として福島原発も水素爆発で放射能漏れを自作自演して、反原発キャンペーンに乗り出したのです。原発施設を停止や廃炉に持ち込み、急激に低迷していた日本の化石燃料エネルギー消費を火力発電復活でもとに戻すためです。グラフをご覧ください。311大震災の翌年から石油輸入に頼る化石燃料エネルギー消費が急上昇しています。

左上から右に見て急激に右下がりが日本の化石燃料石油のエネルギー消費の割合で、滑らかに右肩上がりの曲線が人口増加の推移です。2010年から人口減

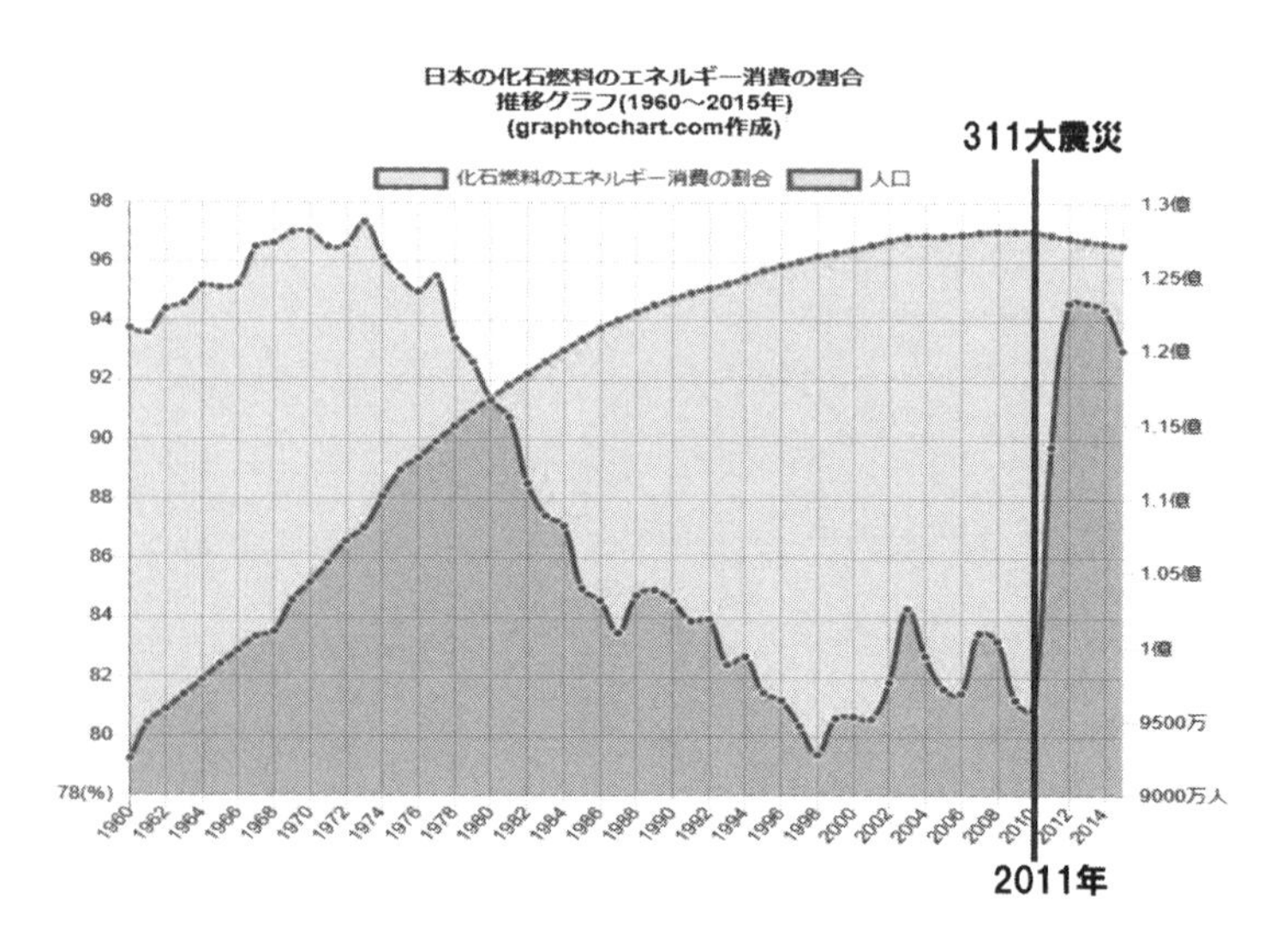

少傾向に転じていますが、これも闇組織関与の人口削減調整の結果です。その証拠に闇組織の小松左京の「日本沈没」小説に日本沈没が始まる正確な日時と同時に、大震災は人口減少傾向に入った翌年だと書かれています。

911も311も同じ犯行グループによるため、同じ11日の同じ46分に行われています。このようにロックフェラーは、無実な一般人を自分の利益達成のために大量虐殺したのです。神様はご存知です。

ロックフェラー4世、日航機撃墜のゲイツと共にワクチンビジネス

原子力発電ロスチャイルドとのライバル関係はコカ・コーラとペプシ・コーラの対立のように続いています。環境活動家グレタというグレたような怖い顔の少女はロスチャイルドの原子力発電事業推進に利用されています。温暖化ビジネスの裏側では、石炭資源豊富なオーストラリアと採掘に従事する日本の排出する二酸化炭素を大げさに問題視して、CO_2が地球温暖化を招いていると総攻撃していますが、後ろ盾は原発を推進したいロスチャイルドが動かしているのです。

4代目ロックフェラーは、ロックフェラー財団のマサチューセッツ工科大学でビル・ゲイツを立てて開発したメッセンジャーRNAワクチンで私たちのDNAを永久に書き換える人口削減を実行しています。

それでは、ロックフェラーと親しいビル・ゲイツってどんな人ですか？

中国では大学を建て、ＯＳ「Windows」コンピューターの生みの父、ワクチン推進派の慈善家として立派な人と言われています。彼は、マイクロソフト創業者として最初にコンピューターウイルスを作った人です。

しかし、日航機１２３便墜落事故の真相、ご存知ですか？

御巣鷹山に墜落した日航機１２３便には国産ＯＳトロンの天才技術者が17人搭乗していて全員死亡しました。彼らが世界に無料で配ろうとしていた日本製ＯＳ「トロン」の計画はとん挫し、代わりにビル・ゲイツのＯＳ「Windows」が世界を席巻するＯＳの標準となりました。

しかし、本当は日本製ＯＳ「トロン」の方が先進的に使いやすくて高速、高性能、コンピューターウイルスにも断然強くて優れもの、しかもこれを日本の科学者たちは世界に無料で配ろうとしていたのです。忌まわしい暗殺とはこのようなものです。彼ら17名の日本の頭脳を滅ぼすために無関係な搭乗者すべてを巻き込んで、僅かな生存者たちさえ事件目撃者の証拠隠滅目的で激しく焼き殺してしまうのです。

その後、「ボーイング社の修理ミスによる圧力隔壁の損傷」と全てのテレビ局が嘘を報じましたが、実際には不可解な点が多く、何者かにミサイル攻撃されて墜落した明らかな状況証拠が多数あります。

マレーシア航空追撃事件の時も同様でした。ウクライナで爆破墜落したマレーシア航空に、エイズ学会に参加するためにエイズの研究者が多数搭乗していました。彼らも疫病の真実を知っていた貴重な頭脳集団です。

ロックフェラーとビル・ゲイツ、本当に立派な慈善家ですか?

彼らの癒着は深く親の代から家族付き合いの交流があり、結託して研究開発した自信作、それが今回のファイザー社の「ルシフェラーゼ」入りワクチン「コミナティ」です。

ですから私は、彼らを絶対信じません。過去も今も大勢、人口削減した悪い奴らだからです。

ファイザー製薬会社にはビル・ゲイツが出資しています。
モデルナ製薬会社にはジョージ・ソロスが出資しています。

投資家で慈善家とされるジョージ・ソロスってどんな人ですか？

彼は不正選挙でトランプ大統領を排除して、闇の政府ディープステートのバイデンを当選させた民主党陣営の影の首謀者です。アメリカ大統領選挙以前に東京都知事選も不正選挙だったと指摘があります。しかし、小池百合子が当選できたのもジョージ・ソロスの力だと言われています。

なぜ、後ろ盾ジョージ・ソロスは小池百合子を資金援助までして立てたのですか？　それは新型コロナの時期に思いのまま、東京都知事の政策に介入してワクチンを日本国民に売るためです。都知事の権力は小さくありません。財政規模で言うなら多くの小国をはるかに上回る経済規模、都知事は一国の王のような立場です。

ですからモデルナ製薬会社のワクチン販売で大儲けするため、小池百合子の演説を使ってコロナの脅威をあおり、長期的自宅待機で国民を恐怖に落とします。厚生労働省はコロナを感染症２類指定しています。日本国内の感染者数は２０２１年９月14日時点で１６５万１４１１人、死者数１万６９０９人で、割合では致死率０・01％です。これがどうして致死率53％の鳥インフルエンザや致死率35％のＭＥＲＳと同じ感染症２類指定になりますか？

ワイロを受けた厚生労働省とメディアが大げさにあおっているだけです。明らかに本当は感染症５類指定レベルです。医療崩壊が起きるかもとあおりますが、指定感染症２類指定を５類にすれば医療崩壊は起きません。２類指定だから、法律に基づき、大げさな粉塵微粒子や液体飛沫から保護するバリア性能を備えた防護服着用義務で感染者対応し、病院数が元々少ない２種指定感染症医療機関にしか搬入できず、結果、病床数が足りないと言って医療崩壊リスクを演出しているのです。

軍事目的に転用可能な科学技術はよく隠ぺいされ、都市伝説化されます。ＨＡ

ＡＲＰ地震兵器やニュートリノ砲、気象兵器、洗脳兵器、起爆装置に原爆を用いない純粋水爆などです。
石油財閥の既得権益を揺るがす脅威だったスタンリー・メイヤーの空気と水だけで走る車、黙殺された数々のフリーエネルギー。

医療分野でも同様で、ＳＴＡＰ細胞は実用化すれば、これまた数百兆円以上の利権であるため、イルミナティの命令で小保方晴子さんはＣＩＡ工作員のマスメディアに潰され業界追放、上司の笹井芳樹さんも死に追いやられ、現在、ハーバード大学がＳＴＡＰ細胞を発見して特許を取得しています。

40万人に使用されたさまざまなガンに効く丸山ワクチン。丸山氏はクリスチャンとして多くの人を癒したい神様の愛に動かされて40日分の使用をわずか９７２0円と格安治療を実行しました。しかし、このこのような特効薬が半世紀近く国の許可が降りないなど、抗癌治療薬を作ったロックフェラー財団の既得権益を損う発明は、闇組織からの圧力が大きいです。

ビル・ゲイツは忙しいです。数百兆円以上の利権となるWinnyを開発した天才プログラマー金子勇さんは、ＡＩ最先端技術のニュートラルネットワークＡＩの開発者ですが、不当逮捕後、暗殺されています。スーパーコンピューターも国産戦闘機も国産ＯＳトロンも、世界基準になるべく日本の開発技術ですが、このように潰され、不法搾取されています。

あなたは、ロックフェラーとビル・ゲイツとジョージ・ソロス、彼らの共同出資した作品、メッセンジャーＲＮＡワクチンを信じられますか？　これがＲＮＡワクチンを信じられない訳です。

Chapter 31

ダボス会議の内容を暴露する!!

COVID19 Road Map は、コロナ利用の人口削減・人類管理の12ステップ手順書だった

世界の権力者が集まる「ダボス会議」で権力者が地球と人間を支配するプランを話し合った内容暴露です。参加者が外に漏らし、ミュージシャンのＪＩＭ ＣＯＲＲに伝わり、彼がＳＮＳで拡散しました。日本からのダボス会議出席者は、パソナの竹中平蔵です。

情報拡散者　ジェームズ・スティーヴン・イグナシウス・コアー（James Steven Ignatius Corr MBE）

COVID-19 Roadmap　**STEP1**

The 12 Step Plan to Create a Totalitarian "New World Order"

問題をつくりだす（"Problem-Reaction-Solution"）

インフル同様ありふれた症状しかない病気で
簡単に治療でき99.97%が回復。
しかしたちの悪いインフル同様、
かかると免疫弱者だと重篤になりうる。
これをCOVID-19と特別な病気のように名付ける。

ワクチン希望者の並ぶ行列が、やらせのサクラでアルバイトだったという疑惑があります。岡山県美咲町で２０２１年４月下旬にあった新型コロナのワクチン接種のための予行演習の求人情報が、８月下旬になって「ワクチン接種を促すための演出」といった情報とともにＳＮＳ上で飛び交いました。美咲町と岡山県医師会によると、この予行演習は、１日当たり何人の接種が可能かを把握するためのシミュレーション。４月28日に美咲町中央保健センターに会場を設営し、翌29日に実施。会場で案内する人、接種を受ける人、問診をする人、接種をする人などの役があり、町職員も60人ほどが参加したが人手が足らず、運営を委託した会社が、岡山市の人材派遣会社を通じて募集したという。派遣会社が作った求人票には「ワクチン接種デモンストレーションのエキストラ募集、時給１４００円」とあり、作業日は４月28、29日の2日間で「ワクチン接種会場の設営」「係員の誘導によって接種を受ける役」「受け付けをして、ワクチンを受けるふりをする」「接種後に係員の誘導に従って待機し、会場を出る」などと、それぞれの作業の内容が記されていました。

これが単なる予行演習のシミュレーションだったのか、そもそもワクチン接種にアルバイトまで雇って行列体験する予行演習が必要なのか？

ただ予想外のＳＮＳ拡散でサクラのアルバイト実態がバレたから、後だしじゃんけんの後から取ってつけた言い訳なのか、疑惑が大いに残ります。ＪＲ渋谷駅近くの予約不要な新型コロナの若者向けワクチン接種会場の行列も、同様のアルバイト募集広告が事前にあってサクラの疑惑がささやかれています。新型コロナもインフル程度で大したことないし、ワクチンも本当はそれほど多く受けていないのではないでしょうか？

２０１９年の日本の年間死因別死者数は、以下となります。

１位　癌　37万６３９２人　27・３％
２位　心疾患（高血圧性を除く）20万７６２８人　15・０％
３位　老衰　12万１８６８人　８・８％

4位　脳血管疾患　10万6506人　7・7%
5位　肺炎　9万5132人　6・9%
6位　誤嚥性肺炎　2・9%
7位　不慮の事故　2・9%
8位　腎不全　1・9%
9位　血管性及び詳細不明の認知症　1・5%
10位　アルツハイマー病　1・5%

COVID-19 Roadmap　**STEP2**
The 12 Step Plan to Create a Totalitarian "New World Order"
恐怖をあおる（"Provoke a Terrifed Reaction"）

ステップ2　恐怖を煽る
マスメディアを使って恐怖を煽る。
そしてあたかも新型コロナが原因で死亡したかのように、何がしか関係した人もコロナ死亡としてレポートする。ほとんどの人はまったくコロナの症状もないのに。コロナの検査やワクチンをサポートさせる科学者を助成金で医師をボーナスというワイロで籠絡させる。

死因ランク5位の肺炎は、呼吸器の病気の中でも比較的よく見られる病気で、気道を通して侵入した細菌やウイルスなどの病原体が肺内で増殖し、炎症が引き起こされます。今まで毎年あった細菌やウイルスが空気感染する肺炎は年間死者数9万5132人でもメディアは大騒ぎせず、マスクもしなかったのに、年間死者数

1万6909人のコロナは大騒ぎ、明らかに異常です。大げさに誇張されたコロナより恐ろしいのは、ワクチンと全世界を惑わす者とそれに従う日本政府とメディア、金権欲に汚れた人間の心です。

昔からあるCIAの超極秘プロジェクトに「MKウルトラ計画」があります。1951年に始まった薬などを使って人の心を操作するマインドコントロール戦術で、戦後はHAARP兵器やテレビ報道等マスメディアが活動主体として日々、活動しています。恐怖をあおっているのはいつもテレビです。それは、常習的に間違いを語る開けてはいけなかった馬鹿の箱です。上から操作されている操り人形たちを盲目的に信じないようご注意ください。

グレート・リセットとは借金の踏み倒しシステムのこと!?

世界経済フォーラム（WEF）が開催するダボス会議。2021年のテーマは、「グレート・リセット」。それは、第二次世界大戦以降につくられてきた社会全体

COVID-19 Roadmap　STEP3
The 12 Step Plan to Create a Totalitarian "New World Order"
ロックダウンを強制する（"Impose Lockdowns"）

国家、地域でロックダウンを強制させ、富と権力をグローバル企業と金融エリートに集中させる「グレート・リセット」をスタートさせる

を構成する金融システム、社会経済システムなどを、一旦すべてリセットすることです。ウィズコロナ・アフターコロナの時代。経済成長や公的債務、人々の雇用や働き方、格差の是正や幸福度の上昇を目指すためには、既存の仕組みから抜け出し、新たな仕組みをつくり出す必要があると御用学者たちは言います。しかし、実際には富裕層が中間層を貧困層に落とすことで富の二極化を進めます。中小零細企業は次々と潰され、闇組織傘下のグローバル企業のみ生き残るピラミッド構造をいよいよ構築します。

グレート・リセットなんてカッコつけて言ってるけど、要はアメリカの天文学的数値1600兆ドルの国内外への借金を全部踏み倒したいということでしょう。

とりわけ日本への莫大な累積赤字国債はリセットしてすべて帳消しにしたい。

今のひ弱な日本の政治家たちならアメリカがそう提言して、ワイロと名誉を摑ませれば、「時代がもはや国際的なグレート・リセット到来で世界130か国以上が合意していますから当然の成り行きですね。我々も新世界秩序の樹立に全面協力します」なんて言って命じられるままに借金棒引き案を受け入れて妥協するのではないでしょうか。

アメリカも世界に向けたグレート・リセットゆえ形だけは整えないといけないからデジタル新通貨制度発行や社会主義の所得分配みたいな茶番劇を演じるのではないでしょうか。

グレート・リセットについてジャスティン・ハスキンズ氏は言いました。

「計画の目的は、気候変動とCOVID－19への取り組みを正当化するものとして、世界経済を社会主義に向けて動かすことであることは明らかです」

アメリカの上院議員で医師のスコット・ジェンセン氏は自然療法で自身の乳がんを治した医師ですが、告発しています。厚生省から、『亡くなった方の死因を、新型コロナの検査はしていなくても、疑いがあれば「新型コロナにより死亡」とするように』との通達があったそうで、それがテレビで報道されています。

さらに、「どの医師も、手術や抗がん剤、放射線治療が癌を引き起こすと知っているけれど、医師免許を失うからそれ以外の治療を行うことができない」とも言います。

ＰＣＲ検査に関してもロレイン・デイ医師の動画では、「綿のスワブの先にナノのワクチン物質・成分がつけられているから、ＰＣＲ検査を受けただけで、ワクチン打たれたのと同じです」と告発しています。

COVID-19 Roadmap　STEP4
The 12 Step Plan to Create a Totalitarian "New World Order"
患者数を誇張する（"Exaggerate Cases"）

全くあてにならないPCR検査を使って、感染者数を大げさに誇張したり、症状がなくて"うつす"心配がない感染者まで煽らせる。

マスクの明らかな健康リスクを織り込み済み！

画像はマスクを着けると顔の温度がどう変化するのか、サーモグラフィーを使って実際に測ってみました。正午前に渋谷の街中で測定したところ、マスクをしていない状態では口元の温度は36度前後になっていました。

マスクを着けると、温度はすぐに3度ほど上がり39度から40度を示しました。マスクをしたまま5分ほどたつと、マスクの内側に熱がこもって、口の周りに汗をかき始めるのが分かりました。マスクを着用していない時に比べてかなり暑さを感じ、時間がたつに連れて息苦しい感覚もありました。

COVID-19 Roadmap　STEP5

The 12 Step Plan to Create a Totalitarian "New World Order"

顔マスクを強制する（"Mandate Face Masks"）

恐怖を煽り　マスク強制を社会の掟とする。実は布マスクはどんなウィルス感染予防にも効果がない、マスクを使えば使うほど呼吸が浅くなり酸素が欠乏、真菌感染症にかまりやすくなるなど健康リスクが増すのだ。

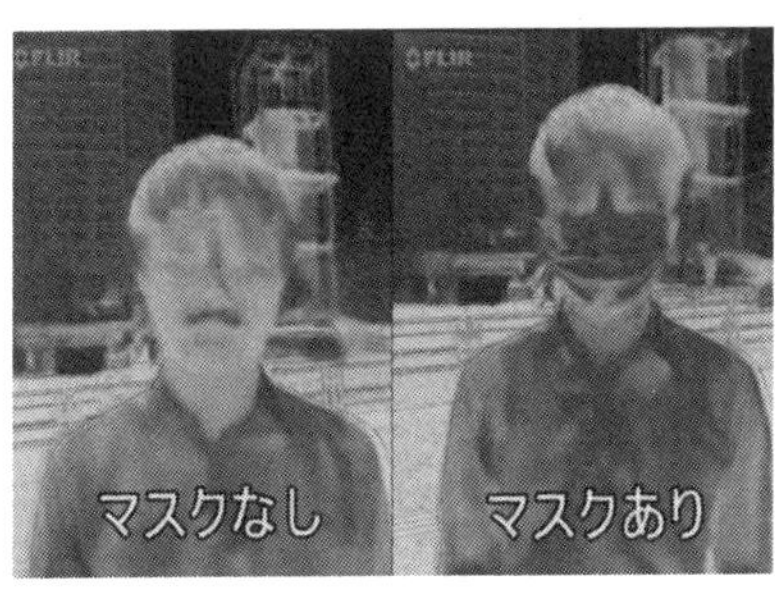

熱中症に詳しい日本医

▼マスクの外側に付着した菌の培養結果
（着用30分後）

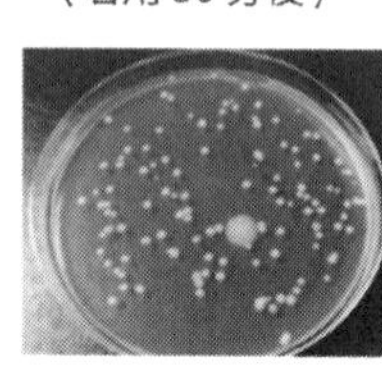

一般的マスク

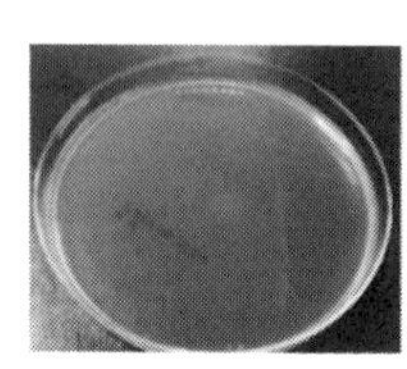
アクティブサージカルマスク

科大学大学院の横堀將司教授は「マスクによって一概に熱中症になりやすいということではないが、マスクを着けると呼吸がしにくくなり、心拍数や呼吸数が1割ほど増えるというデータがある。そこに運動や気温の急激な上昇が加わると、熱中症になるリスクが高まる」と指摘しています。

医療用アクティブサージカルマスクの方が一般的マスクよりは、菌やウイルスの増殖を制御する性能を備えているようです。しかし、闇組織はマスクの健康リスクを知っていますね。マスクを着けると酸素不足により、思考低下、元気がなくなり脱走が難しくなります。もともと奴隷管理に使っていたようです。民衆をあざ笑う闇組織の声が聞こえてきそうです。

「マスク」という映画では、主人公が顔マスクをすると悪魔の力で変人の怪人に変身する奇想天外なストーリーですが、聖書でもハマンという悪人が王様の機嫌を損ねた時、顔がおおわれ、その後、処刑され、財産の邸宅も没収されました。人は神様の栄光に似せて創られた美しく優れた存在ですから、顔を布でおおうことはふさわしくないです。

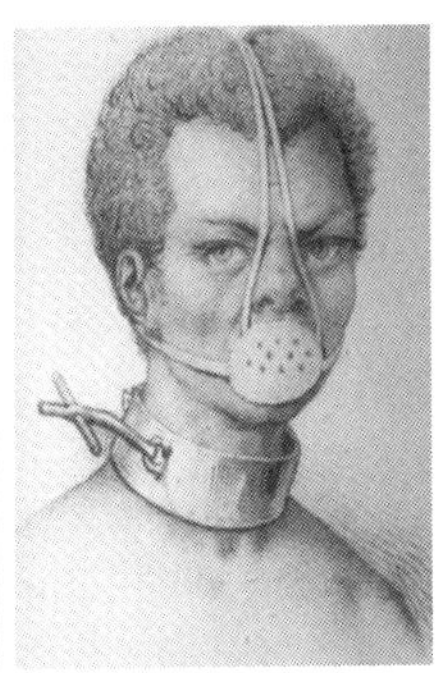

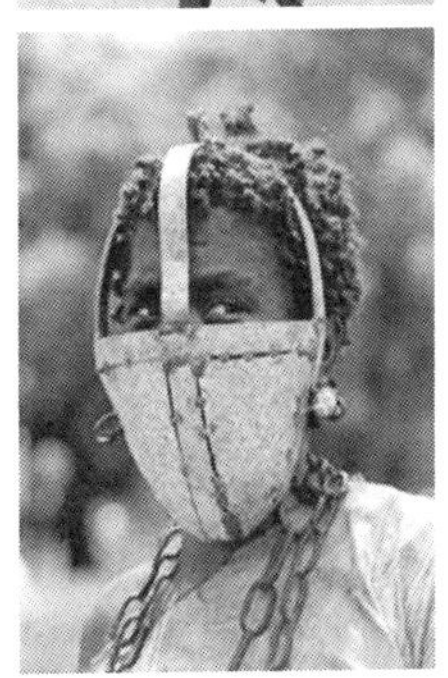

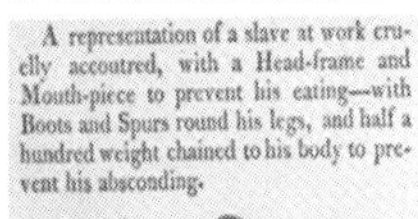

エス7：8　「王が宮殿の園から酒宴の広間に戻って来ると、エステルのいた長いすの上にハマンがひれ伏していたので、王は言った。「私の前で、この家の中で、王妃に乱暴しようとするのか。」このことばが王の口から出るやいなや、ハマンの顔はおおわれた。」

COVID-19 Roadmap　**STEP6**
The 12 Step Plan to Create a Totalitarian "New World Order"
常時監視する（"Impose Contact Tracing"）

個人のすべての行動や他人との接触が追跡・記録・分析されることを人々に受け入れされる。

政府は2020年2月18日、新型コロナを、毎年流行するインフルエンザと同じく「感染症監視体系」にもとづく常時監視対象項目に加える措置を取りました。

これにより、全国52の医療機関でウイルスへの感染が疑われる患者を対象に行う検査に新型コロナウイルスが加わり、肺炎などの症状がなくてもインフルエンザへの感染が疑われる人に対しては、インフルエンザウイルスに加えて新型コロナウイルスに感染しているかどうかの検査も行われるようになりました。

感染症監視体系強化で新型コロナ感染者数を増やしたのですね。

おろかな行為?!　マスク警察、自粛警察!

自粛警察とは、感染症の流行に伴う、行政による外出や営業などの自粛要請に応じない個人や商店に対して、偏った正義感や嫉妬心、不安感から、私的に取り締まりや攻撃を行う一般市民やその行為・風潮を指す俗語です。

マスク警察や正義中毒、正義厨(せいぎちゅう)と呼ばれるものも出現しています。マスク警察から派生したウレタンマスク警察も出現。東京都新宿区のネイルサロンは「客と従業員の安全を担保できない」として、ウレタンマスクで来店した客には不織布マスクを渡し、着け替えを求めています。不織布マスク以外は一切認めず、着用しないと入店を断る美容院もあります。インターネット上には「効果皆無」「近寄るな」などと過激な意見が並び、「ウレタンマスク警察」とも呼ばれます。

私は先日、刑務所内の囚人に呼ばれて牧師として面会に行き、穴の開いたあの透明なアクリル板越しに受刑者にイエス様を伝えていましたら、刑務官の警察官に私がマスクをするよう叱られました。対面の受刑者と私の間には仕切りの分厚い壁があるのにやり過ぎです。

COVID-19 Roadmap　STEP7
The 12 Step Plan to Create a Totalitarian "New World Order"

健康パスポートIDシステムを強制
("Impose Health Passport ID systems")

スマホのアプリを使った「健康パスポート」を 導入する。生体認証カードで人々の行動の自由や教育・雇用その他すべてのサービスにアクセスすることをコントロールする。これらはグローバルなデジタルIDシステムになる。このIDはどこに行くにも求められることになる。

どんどん進むワクチンパスポート

今は大体、このSTEP7です。

新型コロナ感染症予防接種証明書（ワクチンパスポート）の発行。

ワクチンパスポートの場合、ワクチン接種者のみに移動を認めることは、事実上のワクチン強制につながります。ワクチン接種証明書の使用可能国について、最新情報の外務省ホームページでは、海外渡航用の新型コロナワクチン接種証明書が使用可能な国・地域一覧（9月3日現在）、35か国になっています。

日経新聞によると、ビル・ゲイツやロックフェラーが新型コロナの世界共通ワクチン接種証明書を発行すると報じてます。その組織連合は、マイクロソフト、オラクル、セールスフォース、ロックフェラー財団支援の非営利組織コモンズ・プロジェクトや米医療非営利団体メイヨークリニック。新導入のワクチンパスポートは、利用客の接種記録をスマホのアプリや紙に印刷されたQRコードで提示する。飛行機の搭乗時だけでなく、出勤や登校、イベントへの参加や食料品店での買い物などの活用も想定する。複数あるワクチンのうちどの種類の接種で入国を受け入れるかなど、独自のルールを設定できるようにする構想だそうです。本当に大変なことが起きています。

COVID-19 Roadmap　**STEP8**

The 12 Step Plan to Create a Totalitarian "New World Order"

5Gマイクロ波網の水平展開

("Rollout 5G Microwave Networks")

5Gネットワーク展開によりスマホやネットに接続された機器から膨大に集積された個人のデータを常に集めることができるようになる。5Gは高周波マイクロウェーブ波への照射を大きく増大させ、それは血中の酸素を減らし、コロナウィルス症状様の呼吸器症状を引き起こす。5G症状は新型コロナとされ、ワクチン接種を正当化するためにつかわれる。

5Gリスクに備えよ！

４Gでは早くても5分はかかった2時間映画のダウンロードが５Gでは、たった3秒でできます。しかし、アメリカで５G電波等の近くに基地をかまえる消防士たちが頭痛や不眠、記憶障害と意識障害を訴え、その消防士たちは、近くに電波等のない別の基地に異動した途端、すっかり症状が治まりました。

子どもは成人に比べて2倍以上、携帯電話が発するエネルギーが脳に影響を及ぼすという報告があり、脳腫瘍や白血病のリスクが懸念されています。

５Gを使った積極的購買技術では、立ち止まって覗き込んだショーウインドウの中の商品が無性に欲しくなってしまいます。マイクロ波に変調されたＥＬＦで感情を制御されてしまうのです。この技術は当然、政治的にも利用されます。ある特殊な変調をマイクロ波に加えると、脳に対してさまざまな影響を与えることができるのです。60ＧHzのパルスマイクロ波は、送信電力の90％が、皮膚の表皮および真皮層に吸収されます（=日焼けと同じ損傷）。

つまり、日焼け止めが効かない状態で日光を浴びている状況と同じことになり、皮膚の痛みを感じたり、皮膚疾患や皮膚がんの影響に繋がります。室内用5G受信機が普及で、そんな身近に強力パルスマイクロ波、大丈夫でしょうか？

目への影響

1994年の研究でパルスマイクロ波は、ラットの水晶体の混濁を引き起こした↓白内障の発生に関連することが明らかになりました。

身体への影響

「心臓」「免疫系」「癌」への影響が発見されています。

5Gは4Gと比べ生物学的にアクティブになり、遥かに人体的に危険である可能性が上がります。あまり公式に発表されていませんが、健康懸念で5G使用を拒否・停止した国が以下です。ベルギーは「国民はモルモットではない」と5G

電磁波　健康に影響
超低周波　全国疫学調査で確認
発症率が倍増
低減策が課題

導入を先送りにしました。

・ベルギー
・イタリア
・スイス
・アメリカ（カリフォルニア州など一部の州）

ビッグ・ファーマとは、米国で大きなシェアをもつ世界的巨大製薬会社10社（米国のファイザー、メルク、ジョンソン・エンド・ジョンソン、ブリストル・マイヤーズ、ワイス、英国のグラクソ・スミスクライン、アストラゼネカ、スイスのノバルティス、ロシュ、フランスのアベンティス）を指します。

ホーキング博士の懸念

物理学者の故ホーキング博士、遺伝子操作による「超人間」の誕生に懸念。

ホーキング博士は著書で、遺伝子工学に関して、人間に対する遺伝子操作を禁止する法律がおそらく今後制定されるだろうと予測。ただし、記憶力、病気への耐性、寿命といった人間の特徴を改良する誘惑にあらがえない人も出てくるはずで、富裕層は子孫のＤＮＡを改変して能力を高めようとするだろう、と予測しています。このような遺伝子的に改良された「超人間（superhuman）」が登場すると、彼らよりも能力で劣る既存の人類との間で格差が生じ、重大な政治問題になると指摘。超人間と競争できない人類は「絶滅するか、重要でない存在になっていく」と警鐘を鳴らしました。代わりに、「加速度的に自己の改良を続ける新たな種が台頭する」との予測を示しています。

　ホーキング博士はこうした予測の根拠の一例として、２０１２年に特許申請された遺伝子編集技術「CRISPR-Cas9」を挙げています。これは、

COVID-19 Roadmap　**STEP9**

The 12 Step Plan to Create a Totalitarian "New World Order"

強制予防接種（"Mandatory Vaccinations"）

強制予防接種は100%死亡傷害時も免責となる為ビッグ・ファーマに巨大な利益をもたらす。ワクチンは自然免役を破壊し、不妊率を上げ、地球規模の人口削減を推進する。新しいDNAワクチンやRNAワクチンは従順で不妊で容易に扱える遺伝子組み換え人間を創出できる。

COVID-19 Roadmap　STEP10

The 12 Step Plan to Create a Totalitarian "New World Order"

現金を使わない社会（"Cashless Economy"）

現金は、人々にプライバシーで守られた買い物を可能にする。現金払いならば、国は、あなたが、どこで、いつ、何を買ったか分からないが、キャッシュレス経済は、全ての購買が、常に監視・管理されることができるので、お金に関するプライバシーが完全に無くなる事を意味する。デジタル経済へのアクセスは、公式に認可された購買、見解、言動に異議を唱える人の誰をも遠ざける事に成り得る。

ゲノム配列の任意の場所を削除、置換、挿入することを可能にする技術で、すでに特定の疾病の治療に実用化されているといいます。

モントーク計画の証言では、

「イエス様が天の御使たちと再臨する時、サタンは自分たちの方が数が少ないことを知っています。勢力は2対1です。だから獣の刻印が押された人が必要になるのです。そのプログラムが有効化されると人間のDNAが無効になり、悪霊のDNAを持つ超兵士となるのです。イエス様が戻って来た時にそうなるのです。彼らは大勢の軍隊を集めています。彼らは神様に勝てると思っているのです。色々なハイブリッドを増やしているのは、人口を減らすためです」

日銀もデジタル円に舵を切っていた⁉

日本銀行のＨＰには、

「中央銀行は、誰でも1年３６５日、１日24時間使える支払決済手段として銀行券を提供していますが、これをデジタル化してはどうかという議論があります。現金を代替するようなデジタル通貨を中央銀行が発行することについては、具体的な検討を行っている国もありますが、民間銀行の預金や資金仲介への影響など検討すべき点も多いことなどから、多くの主要中央銀行は慎重な姿勢を維持しています。日本銀行も、現時点において、そうしたデジタル通貨を発行する計画はありません」

と、書いているのに嘘でした。

日銀は２０２１年４月、中央銀行が発行するデジタル通貨（ＣＢＤＣ）の実証実験を始めました。「デジタル円」が発行されれば、近い将来、私たちは紙幣や硬貨を使わなくなります。国際決済銀行（ＢＩＳ）のリポートによれば、世界65か国・地域のうち6割がデジタル通貨の実験段階に進んでいる。今後3年のうちにデジタル通貨の発行が始まる可能性がある国・地域は、人口ベースでは世界の5分の1に及ぶ。暗号資産（仮想通貨）は、中央銀行の信用の裏付けがない民間独自の無国籍通貨。２０２１年にはＥＵや中国、日本など経済大国も動き出す。

米国はまだ具体的な計画を明らかにしておらず、動向が注目されています。

財布のお金がデジタル化され、「デジタル円」となる日は、日本銀行に勤めた経験があり、中央銀行が発行するデジタル通貨の開発に詳しい麗沢大教授の中島真志（まさし）氏は「数年後に実現する」とにらんでいます。

チップ埋め込みもどんどん進展中！

文部科学省科学技術政策研究所　科学技術動向研究センターの２０２５年に目指すべき社会の姿は、チップ埋め込みですが、それは健康管理上という理由で埋め込みます。関連資料には分かりづらく以下のように記載されています。

Ⅲ．分野別検討結果：分野1　完全埋込型内分泌臓器（2020年／2029年）完全埋込型人工心肺（2022年／2032年）完全埋込型人工腎臓技術（2021年／2032年）細胞の膜輸送、物質交換、エネルギー交換などの機能を代替する人工細胞の合成技術（2026年／2036年）

患部への侵襲が最小限で治療をしてもらえるようになる　バーチャルリアリティ技術を駆使した遠隔手術システム（2013年／2022年）

COVID-19 Roadmap　STEP11
The 12 Step Plan to Create a Totalitarian "New World Order"
RFIDマイクロチップ埋め込み
("Compel RFID Microchip Implants")

健康パスポートアプリから"より便利な"高周波ID（RFID）マイクロチップ埋め込みへ。24時間健康、移動、接触、電子支払の監視が可能になる。このRFIDチップにより、全ての人間のプライバシーは消滅する。最初は任意だが、標準化されると強制に変わる。

元医療関係者のクリスチャンから聞きました。今のコロナ接種の注射針は今までのものと比べると針が相当、太いとのこと。チップを挿入するた

COVID-19 Roadmap　STEP12
The 12 Step Plan to Create a Totalitarian "New World Order"
新世界秩序（NWO）の完成
（"Arrive at the Totalitarian New World Order"）

人口削減後の、ハイテク全体主義世界　それは遺伝子操作され、自然免役を弱められ、マイクロチップを注入され、永久にインターネットに接続され、24時間モニター、コントロールされている人間で構成される―そこでは人間は生体器械として彼らは全体主義の監獄で暮らす。こうしたいわゆる"グレート・リセット"の真のゴールはハイテクファシズム・共産主義である。新型コロナパンデミックはそれへの道筋をつける口実に過ぎない。

めですね。
あと国民が、ちょっとした風邪でも、恐れてＰＣＲ検査するから、偽りの陽性反応者が増えて、メディアも食いつく、心無い医者も大儲けのようです。

日本政府のムーンショット計画もリンクする

ニューノーマル全体主義専制支配へ
日本政府は、ムーンショット目標を公開しています。
２０５０年までに、人が身体、脳、空間、時間の制約から解放された社会を目指すそうです。まさに、これは12番目のニューノーマルの世界です。

内閣府のＨＰです。

ムーンショット型研究開発制度は、我が国発の破壊的イノベーションの創出を目指し、従来技術の延長にない、より大胆な発想に基づく挑戦的な研究開発（ムーンショット）を推進する新たな制度です。

ムーンショット目標

1．2050年までに、人が身体、脳、空間、時間の制約から解放された社会を実現

2．2050年までに、超早期に疾患の予測・予防をすることができる社会を実現

3．2050年までに、ＡＩとロボットの共進化により、自ら学習・行動し人と共生するロボットを実現

4．2050年までに、地球環境再生に向けた持続可能な資源循環を実現

5．2050年までに、未利用の生物機能等のフル活用により、地球規模でムリ・ムダのない持続的な食料供給産業を創出

6．2050年までに、経済・産業・安全保障を飛躍的に発展させる誤り耐性型汎用量子コンピュータを実現

7．2040年までに、主要な疾患を予防・克服し100歳まで健康不安なく人生を楽しむためのサステイナブルな医療・介護システムを実現

ブロードウェイのミュージカルに入れない未接種者たち

黙12：9－12「この巨大な竜、すなわち、悪魔とか、サタンとか呼ばれて、全世界を惑わす、あの古い蛇は投げ落とされた。彼は地上に投げ落とされ、彼の使いどもも彼とともに投げ落とされた。そのとき私は、天で大きな声が、こう言うのを聞いた。「今や、私たちの神の救いと力と国と、また、神のキリストの権威が現われた。私たちの兄弟たちの告発者、日夜彼らを私たちの神の御前で訴えている者が投げ落とされたからである。兄弟たちは、小羊の血と、自分たちのあかしのことばのゆえに彼に打ち勝った。彼らは死に至るまでもいのちを惜しまなかった。それゆえ、天とその中に住む者たち。喜びなさい。しかし、地と海とに

COVID-19 ロードマップ

全体主義的「ニューノーマル」を創出するための12段階計画

重要

1	問題の創出 		普通の症状のインフルエンザのような病気、しかも99%以上の回復率で容易に治療可能な病気を利用する。本質的には季節的なインフルエンザと変わらないが、どんなインフルエンザの場合と同様免疫系が弱体化しているひとには危険である病気であること。	
2	恐怖の反応を引き起こす		主流メディアを使い、大々的なパニックを引き起こす。COVID の症状があった死亡ケースはすべてCOVID による死亡として、毎日のニュースで必ず流すこと。ほとんどのひとでは何の症状もなく、あっても軽い症状であるが、COVID のケースとしてニュースに流すこと。COVID 以外の病気とそれらの死因は一切無視すること。質問をする人間は誰でも黙らせること。人々を「恐怖」で打ちのめし、やすやすと「自由」を手放すようにしむける。	
3	ロックダウンの強制施行		グローバルエリートの『グレートリセット』の一環として、ロックダウンを強制的に施行して、経済を破壊すること。(1)小中企業をつぶすこと；(2)富と権力をグローバル企業に移行させること。(3)国際金融業者への国家的負債が巨額にかさむようにすること。キャッシュレス決済を推進すること。	社会的・経済的自由の剥奪
4	患者数の誇張		本来まったく信頼性のないPCR検査を使って,COVID-19ウイルスがより悪性のものであるように演出し、健康な無症状者の中の感染者の数を大きく誇張すること。科学者や医者には金を十分つかませて、PCR検査とワクチン接種を支持させること。	
5	マスク着用の強制	 	恐怖心を煽り、服従を視覚化するためにマスクを義務化すること。現実には布のマスクがどんなウイルスに対しても全く効果がないことは言うまでもない。マスク着用の延長は実際は健康リスクを高める。酸素不足、呼気の二酸化炭素の逆流により、真菌感染症、気管支肺炎、歯周病、等々といった健康障害が起きる。	
6	接触確認アプリの強制		「監視」を当たり前のものとすること。「健康上の理由」という大義名分を使い、ひとびとのあらゆる個人的行動やあらゆる社会的接触がすべて追跡、記録、分析されるのを、仕方のないこととして受け入れさせること。	社会的プライバシーの剥奪
7	健康パスポートの強制		スマホ用の「健康パスポートアプリ」を導入すること。これによって人々の移動のみならず、教育、雇用等のあらゆるタイプの社会的サービスへのアクセスを監視し、制限をかけることができる。これらは、グローバルデジタル認証追跡システムの基礎となる。(ID2020)	移動の自由の剥奪
8	5Gネットワークの強制的運用		5Gネットワークによって、スマホ等のモバイル端末からの膨大な個人情報をコンスタントに吸い上げることが可能となる。5Gはまた、高周波のマイクロ波電磁放射線の出力を上げることによって血中酸素レベルを下げ、呼吸器症状を引き起こすことができる。5Gによって引き起こされるこうした病気は自動的に COVID によるものとなる。	
9	ワクチンの義務的接種		製造物責任を100%免除されている「ビッグファーマ」は、ワクチン接種の義務化によって莫大な利益を保証されている。新型のDNA 組み換えワクチンによって、服従と不妊のために遺伝学的に変容された人間を創出することが可能となる。世界の90億の人口をわずか5億にまで削減する計画の実現には、ワクチンの大量接種が決め手となる。	身体的自由の剥奪
10	キャッシュレス経済への強制的移行		現金だと人々はプライバシーを侵されることなく買い物ができてしまう。しかし、全面的にキャッシュレス化した経済では、金銭的プライバシーはすべて剥奪されることになる。「お金」がすべてデジタルマネー化してしまえば、政府によって是認された見解や行動に反する人間の「お金」は簡単に元栓を止めることができる。	金銭的自由の剥奪
11	ナノチップの強制的埋め込み		「遠隔操作電波周波数 ID(RFID)ナノチップ」を体内に埋め込むことによって人間の行動、他人との接触、健康状態、デジタルマネー履歴等が24時間常に追跡監視下になる。このチップの埋め込みによって、人間のプライバシーは完全に剥奪される。これが普通になれば、次は義務化され、ゆくゆくは人間はAI マシーンと統合されるしかなくなる。	人間の全プライバシーの剥奪
12	ニューノーマル：全体主義的専制支配 (2030までに完成)		「ニューノーマル」は、ほんのひとつまみのグローバルエリートの利益のために展開される。彼らの計画は、人口削減し、残った人間を非人間化するハイテク全体主義の世界の樹立である。そこに生きる人間たちは、遺伝子を組み替えられて従順になり、ナノチップを埋め込まれて永遠にネットには繋がれていても、互いは切り離されて、バーチャルな生活を送り、そうした人間たちを人工知能が常に監視・コントロールしている。	自由意志と人間精神の剥奪

は、わざわいが来る。悪魔が自分の時の短いことを知り、激しく怒って、そこに下ったからである。」

最近のネットニュースに、「温厚だった妻、陰謀論の動画にはまり「まるで別人」に」「陰謀論者は危険」なんて記事が増えています。騙されてはいけません。

バイデンは先週9日、新型コロナのワクチン接種を受けていない約8000万人の国民を「我々はずっと我慢してきた。しかしそれも限界。拒否してきた人が負担をかけている」と猛烈批判。

AP通信によれば感染力の強い変異株のデルタ株対策として、国内の約1億人に対してワクチン接種や定期検査を義務付ける「新アクション・プラン」を発表。従業員もしくは職員が100人以上の企業や政府関連の組織はすべてその対象で、ワクチンを接種しない場合には週ごとに検査が必要。約1700万人いるとされている医療従事者はワクチン接種が必須で、連邦政府の仕事を請け負っている建設業者もその対象。ワクチンを接種していても、航空機の利用客はマスクを着用するか顔を隠さない場合には罰金を科すなど、デルタ株対策としては最も厳格なものとなりました。これに対してサウスカロライナ州のヘンリー・マクマスター知事（74＝共和党）は「これはバイデン大統領と民主党による資本主義への宣戦布告。憲法を無視している」と批判。「政府職員のワクチン接種義務化には労働組合などが反発する可能性もある」と反論。

いよいよ厳しくなりつつあります。米国で必要回数のワクチン接種を終えた人は対象の54％と発表しますが、おそらく嘘で実際にはもっと少ないでしょう。

入口で係がワクチン接種済み証明書の提示を求める

ブロードウェイのミュージカル、「ライオンキング」が開演し、日本にまで大きなニュースであるかのように報道を繰り返していました。ニューヨーク市民にとって最も嬉しいことだとか、待ちに待った開演を喜ぶ入場者たちの群衆を報道していました。ただし、そこは条件付きで、ワクチン接種済みの証明をスマホで

逐一チェックして、マスク装着義務のもとで入場を許可していました。

観客、役者、スタッフ、劇場従業員にワクチン接種が義務付けられ、観客は鑑賞中、マスクを着用しなければならないのです。

恐ろしいことです。娯楽を楽しむ観劇にもワクチン未接種者たちは入場さえできないのです。

ワクチン推進道具として、観劇まで使われています。このような次第で今後も、特にトランプ支持者たちに多い未接種者たち、彼らへの弾圧は増していくのでしょう。まさに終末の異常事態がいま始まっているのです。

ミュージカル観劇できなくても、ライオンキングの内容は、イギリス作家、C・S・ルイスの全7巻からなる子供向け小説シリーズ・ナルニア国物語の大ヒットから派生したユダの獅子、王なるイエス・キリストを表現したものです。

後に作られた映画「ライオンキング」は公開を待たずに事故死したウォルト・ディズニー・カンパニーの社長で冒険家のフランク・ウェルズに捧げるメッセージとされていますが、なんだが意味深のいわくつきです。クリスチャン作家ルイスの世界観は以下に要約されます。

1．この世は神様によって創られた。
「初めに、神が天と地を創造した。」（創世記1：1）
私たちは一人一人神様に創られた。
「それはあなたが私の内臓を造り、母の胎のうちで私を組み立てられたからです。あなたは私に、奇しいことをなさって恐ろしいほどです。」（詩篇139：13－14）
「神は、実に、そのひとり子（イエス）をお与えになったほどに、世を愛された。それは彼を信じる者が、ひとりとして滅びることなく、永遠のいのちを持つためである。」（ヨハネ3：16）

「その永遠の命とは、彼らが唯一のまことの神であるあなたと、あなたの遣わされたイエス・キリストを知ることです。」（ヨハネ17：3）

では、私たちが神を知る上で、妨げとなっていることは何でしょうか？

2．人には罪があり、神様との間に深い断絶があります。そのため、神様を知ることも、神様の愛を体験することもできなくなっているのです。

「すべての人は、罪を犯したので、神からの栄誉を受けることができず、」（ローマ3：23）

人は本来、造り主である神様と交わりのできる存在として造られました。けれども、神様の命令に背き、神様から孤立した、自分勝手な道を歩むことを選び取りました。それで、神様との交わりが壊れたのです。

「罪から来る報酬は死（神との霊的な断絶）です。」（ローマ6：23）

3．人の「罪」のために、神様が用意してくださった唯一の解決が、イエス・キリストです。私たちは、イエス様を通して、神様を知り、神様の愛を体験することができるようになります。イエス様は、私たちの身代わりとして死なれました。

「私たちがまだ罪人であったとき、キリスト（イエス）が私たちのために死んでくださったことにより、神は私たちに対するご自身の愛を明らかにしておられます。」（ローマ5：8）

イエス様は、死から復活し、多くの目撃者がそれを証言しています。

「キリストは……私たちの罪のために死なれ……葬られ……三日目によみがえられ……ペテロに現われ、それから十二弟子に現われ……その後、五百人以上の兄弟たちに、同時に現われました。」（Ⅰコリント15：3－6）

イエス様は、神様に至る、ただ一つの道です。

「わたしが道であり、真理であり、いのちなのです。わたしを通してでなければ、だれひとり父のみもとに来ることはありません。」（ヨハネ14：6）

4．私たちは、それぞれ個人的に、イエス・キリストを、罪からの救い主、人生の導き手として迎え入れる必要があります。

「しかし、この方を受け入れた人々、すなわち、その名を信じた人々には、神の子どもとされる特権をお与えになった。」（ヨハネ1：12）

私たちは、信仰によって、イエス様を迎え入れます。

「あなたがたは、恵みのゆえに、信仰によって救われたのです。それは、自分自身から出たことではなく、神からの賜物（プレゼント）です。行ないによるのではありません。だれも誇ることのないためです。」（エペソ2：8－9）

「見よ、わたし（イエス）は、戸の外に立ってたたく。だれでも、わたしの声を

聞いて戸をあけるなら、わたしは、彼のところにはいって、彼とともに食事をする。」（黙示録3：20）

Ⅱペテ1：19「私たちは、さらに確かな預言のみことばを持っています。夜明けとなって、明けの明星があなたがたの心の中に上るまでは、暗い所を照らすともしびとして、それに目を留めているとよいのです。」

今はどの時期かを知れば、未来を先読みできます。今は1973年の第四次中東戦争が終わり、和平成立で沈黙の時期です。

エゼ38：8「多くの日が過ぎて、あなた（ロシア）は命令を受け、終わりの年に、一つの国に侵入する。その国（イスラエル）は剣の災害から立ち直り、その民は多くの国々の民の中から集められ、久しく廃墟であったイスラエルの山々に住んでいる。その民は国々の民の中から連れ出され、彼らはみな安心して住んでいる。」

Ⅰテサ5：1－6「兄弟たち。それらがいつなのか、またどういう時かについては、あなたがたは私たちに書いてもらう必要がありません。主の日が夜中の盗人のように来るということは、あなたがた自身がよく承知しているからです。人々が「平和だ。安全だ」と言っているそのようなときに、突如として滅びが彼らに襲いかかります。ちょうど妊婦に産みの苦しみが臨むようなもので、それをのがれることは決してできません。しかし、兄弟たち。あなたがたは暗やみの中にはいないのですから、その日が、盗人のようにあなたがたを襲うことはありません。あなたがたはみな、光の子ども、昼の子どもだからです。私たちは、夜や暗やみの者ではありません。ですから、ほかの人々のように眠っていないで、目をさまして、慎み深くしていましょう。」

彼ら（イスラエル）はみな安心して住んでいます。１９９３年にイスラエル政府とＰＬＯ（パレスチナ解放戦線）のオスロ合意の結果、ＰＬＯは武装闘争路線の放棄を約束し、イスラエルとの間にパレスチナ暫定自治協定を締結して和平が成立。アラファト議長はイスラエルのラビン首相とともにノーベル平和賞を受賞しました。

さらに2020年8月13日、イスラエルとアラブ首長国連邦（UAE）が国交を正常化することで合意したとホワイトハウスは発表。トランプは「歴史的な瞬間だ」「氷が溶けた今、より多くのアラブ諸国とイスラム諸国がUAEに続くだろう」と和平成果を強調。しかし、聖書は世界の終わりが、人々が「平和だ。安全だ」と言っているそのようなときに、突如として滅びが彼らに襲いかかりますと言われました。

戦争について

聖路加国際病院名誉院長であり、105歳で昇天された日野原重明氏は、大学時代に大病をわずらい留年してエリートコースから外れたと思ったそうです。しかし、患者になって初めて医学知識を超えた患者の気持ちを体験的に知り、後の医師としての最大の教訓になったという名医です。

以下は日野原重明氏の言葉です。

「『今は自分の時間を自分のために使っていい。でも大人になったら、いつか他人のために時間を使ってください』とお願いするのです。他人の価値観や尊厳を否定するという意味において、いじめと戦争は同じ。互いに許し合えば、平和がやってくるはずです」

「私は今回の安保関連法案には反対です。憲法の精神と正反対のことをしていると考えるからです」

戦争の放棄をうたう日本の憲法には、聖書によく似た考え方が盛り込まれていると日野原氏は言います。

「聖書には『右の頬を打たれたら左の頬を出しなさい』という耐える精神が書いてます。殴られても殴り返さずに耐えるという日本の憲法も、聖書と同じ、耐える精神が盛り込まれています。我々はこの精神を大事にしなくてはならないです」

「長生きをすれば、連れ合いの死にも向き合わねばならないし、場合によっては子や孫を見送ることもあるでしょう。私も妻が死の床に就いている時は、別れが来るのが怖かった。東日本大震災でも多くの人が、耐えがたい悲しみを味わったことでしょう」「でも人は耐えなくてはならないのです。老人は嘆くばかりでなく、耐えなくてはなりません。一人で耐えられない悲しみも、仲間がいれば耐えられる。だから新老人の会では、耐えることを大事にしています」

憲法に込められた「耐える精神」が戦後70年間、日本に平和をもたらしたと日野原氏は考えています。

そして戦後70年、集団的自衛権の行使を可能にする安保関連法案が可決されました。

「戦争やいじめは、人間が人間を愛したり、尊敬したりするあたりまえの心を狂わせてしまうおそろしいものです」

2015年11月13日にパリで起きた過激派組織「イスラム国」による同時テロは、米欧の有志国によるシリア空爆に対する報復でした。フランスはすかさず再空爆で反撃しました。

「殴られたら殴り返す、では悪循環に陥ってしまいます。憎いと思う相手を、耐えて許すことが何より大切なのです」

聖路加国際病院で勤続74年間。いのちと向き合い続けてきた医師の言葉でした。

あなたのための祈り方7ステップ

以下の祈りを勇気を出して声に出して、神様に祈ってください。神様は今、ここで聞いてくださいます。子供のように素直な心でイエス様を信じてお祈りください。

ステップ1　主イエス・キリストとの関係を確かなものとする。

祈り「主イエス様、私はあなたが神の御子であると心から信じます。あなたは天にある栄光の御座を離れ、人間となられました。あなたはこの世に住まわれ、私たちと同じようにあらゆることで試みを受けられましたが、罪は犯されませんでした。あなたは十字架にかかられ、命を捨てて下さいました。あなたの尊い血は、私のあがないのために注ぎ出されました。あなたは死者の中からよみがえり、天にのぼられました。あなたはご自身のまったき栄光の内に、ふたたび来られます。主よ、私はあなたのものです。わたしはあなたの子供であり、あなたのすべての約束を受け継ぐ者です。あなたは私の救い主、私の主、私の解放者です。イエス・キリストの御名で祈ります」

ステップ2　あなたのすべての罪（知っている罪も知らない罪も）を悔い改める。

祈り「天の父なる神様、私は悔い改める態度であなたのもとに来ています。イエス様の御名で私が気付いている罪も気付いていない罪も、私が犯してきたすべての罪をお赦し下さい。イエス様の十字架の血で私を清めて下さい」

ステップ3　あなたの先祖の罪との関わりを断ち切りなさい。

祈り「天の父なる神様、私は私の先祖たちの罪をイエス様の御名で告白します。受け継がれてきたすべての呪い、また、私の両親あるいは先祖たちが行なった罪と違反と不正行為の結果として私たちの上に置かれたすべての悪霊による束縛について、私は今、それらとの関わりを断ち、それらを打ち壊し、私自身と私の家族を解き放ちます」

ステップ4　神の赦しを受け入れ、自分自身も赦しなさい。

祈り「天の父なる神様、あなたは御言葉の中で、もし私が自分の罪を告白すれば、あなたは忠実で正しい方であって私の罪を赦して下さり、すべての不義から私を清めてくださると約束しておられます。私は、あなたがキリストによって私を赦して下さったと信じます。私はイエス様の御名であなたの赦しを受け取り、自分自身をも赦します」

ステップ5　かつてあなたに悪を行なったすべての人々を赦しなさい。

祈り「主よ、私は人々から悪いことをされましたが、あなたはこれまで私を傷つけた人や私に何らかの悪を行なったことのある人をすべて赦しなさいと命じておられます。私は○○さん（名前を挙げてください。生きている人も故人も）を赦すことをはっきり決心します。私は赦したこの一人一人を祝福します。彼らがみずからのあやまちを悟って悔い改め、救われて新しくなることを祈ります。彼らが地獄に落ちないようイエス様の御名で祝福します」

ステップ6　異端、オカルト、諸宗教などとの関わりをすべて断ち切る。

祈り「天の父なる神様、私は異端、オカルト、偽りの宗教とのあらゆる関わりを罪として告白し、あなたの赦しを求めます。私は、あなただけから受けるべき知恵、知識、導き、力、いやし、富を、サタンの国から求めてきたことを告白します。私は今、イエス様の御名でサタンとそのすべてのわざとの関わりを断ち切ります。私はサタンから私自身を解き放ち、私がサタンにゆだねていたすべてのものを取り戻します。私は呪いをこばみ祝福を選びます。悪魔との間で交わされたどんな小さな契約でも、今、イエス様の御名で断ち切り、無効にします」

ステップ7　異端、オカルト、偽りの宗教との関わりあるすべての書物や物、道具などを全部打ち壊す。

祈り「天の父なる神様、あなたはねたむ神であられ、先祖のとがを三代、四代の子孫にまで報いられる方です。それゆえ私は、あなたの御国に反する私の所有物の書物や物をイエス様の御名で打ち壊します。私の所有物であなたに喜ばれない物が何かあり、それが悪魔に付け込むすきを与えているなら、それを私に明らかに示して下さい。私はすべての悪魔から出た物を打ち壊して捨てます。私は悪魔とは霊的、精神的、物質的にも一切関係ありません。

これらの告白と祈りを、イエス・キリストの名前で祈ります。アーメン」

Chapter 32

歴史では、パンデミック後に経済が成長する!?

14世紀、ペストで当時の世界人口約4億5000万人のうち、約1億人が死亡しました。英国では1348年からの3年間で国民のほぼ半分が死亡し、人口減少は100年近く続きました。しかし、その間、英国の1人当たりの所得は倍以上に上昇しました。

原因は人手不足による賃金上昇と産業構造変革による生産性の効率化です。英国の人口は16世紀に回復すると人余りで賃金が下がり、1人当たり所得は低い水準に戻りました。

1918年、スペイン風邪なるインフルエンザでも、日本で38万人、米国で67

万人、世界で数千万人が死亡しました。しかし、米国では死亡率が高かった州や大都市ほど、賃金上昇率が高かったのです。

１９９０年、アフリカ南部から拡大のエイズは世界で３２００万人が死亡です。南アフリカでは、ＨＩＶ発生前に63歳の平均寿命が、２００５年のパンデミックピーク時に53歳まで低下しました。一方で、南アフリカの所得は、この間、大きく上昇したのです。これは人手不足による賃金上昇と女性の労働参加が原因です。女性が外で働き、子育て時間が減り、出生率低下。子どもが減れば、一人一人に良い教育を与え、高いスキルが身につき、賃金が上昇します。

歴史に学ぶなら、皮肉なことに疫病パンデミックは経済成長を促進している面があります。

ディープステート幹部は、人口１００億人は水や食糧事情、CO_2環境問題、さまざまな側面を考慮して多過ぎると結論付け、あたかも地球環境を心配する善人同様の発言をしていますが、本当の人口削減目的は企業の生産性向上のため、疫病効果で無駄飯食いと持病ある弱者たちから粛清する、すべてはお金のためです。

Chapter 33

すべてはお金！

キャリー・マディ医師がファイザーの正体を内部告発

「私たち医師は何十年も言論の自由がありません。私から言えるのは、正しい知識、科学と医学により多くの病気を治せるということを知ってることです。過去に私は、ある研究に携わり、治療法を発見したことがあるのですが、例えば、ファイザー社、皆さんもご存知の製薬会社ですが、科学者と共同で研究した結果、血管が詰まり、心臓発作が起こる原因を突き止めました。原因は歯周病菌だったんですね。信じがたいことでしたが。細菌が血液によって運ばれ、動脈に入り込み、血管壁に辿り着くと、その部分が弱くなります。身体の仕組みはよく出来ていますね。動脈に穴が開いて、出血しては困るので、セメントを作るんです。それをプラークと呼びますが、彼らは、抗生物質のアズロマイシンが、効くかも知れないと思ったわけです。その研究に、私も関わっていましたが、研究結果は非常に良く、被験者の血管の詰まりが小さくなっていったんです。思った通りでした。しかし、その研究は突然中止となり、それ以上しないと言われました。研究者に確認したんですが、『効果があり過ぎるから』という理由からでした。血管の詰まりは消えていって無くなってしまったんですよ。つまり、病気は無くなったのです。その研究者は言いました。『そのことを知られてはならない』と。『我々が、食っていけないじゃないか！』私の同僚、他の医師すべてが、これについては誰にも言えない。私と複数の医師は、口外するなと脅されたんですよ。『もし言ったら仕事を失うぞ』と。『だから誰にも言うな』と。『自分たちの生活はどうなるのか？　どうやって稼ぐのか？』と。私の同僚が文字通り、そう言ったんです。これは、多くの治療法の一例ですが、要するにお金ですよ。全てはお金」

Chapter 34

繰り返される騒動、そして結論へ

『現代医療』は薬を売るために乗っ取られた

ロックフェラー家が医学部を乗っ取った時、アメリカではさまざまな種類の医学教育が行われていました。ホメオパシーの医者もいれば、自然療法の医者もいて、自然薬を使い治療し、とても良い結果を出していました。ロックフェラー家は、制度を乗っ取ってからは、他の学校を閉鎖して、麻薬の販売を促進しただけでした。彼らは手術と放射線を推進し、日本も二人に一人が抗ガン治療で死ぬ国になりました。

１９９７年からブッシュ政権入閣の２００１年までの間、ＷＨＯが鳥インフルエンザ大流行の予測で世界の人々をパニックに陥れてあおり、ラムズフェルドはギリアド社の会長を務めながら国防長官の職権を乱用して同社の特許インフルワクチン・タミフルをアメリカでも日本でも緊急配備で大量買いさせました。当時、小泉首相も日本やアジアへの大量購入と備蓄に全面協力しています。

株価は35ドルから47ドルへ高騰し大株主のラムズフェルドは少なくとも１００万ドル以上資産を増やしましたが、インフル・パンデミックは起きず、製薬会社だけ大儲けしました。２０２１年６月29日、ラムズフェルドは癌のため88歳で死去し、今は全知全能の神様の裁きの前に立たなければならない運命にあります。どんなに儲けて名誉名声を博しても、後の世には何も持っていけません。

ブッシュ親子を始め製薬会社癒着の政治家だらけのディープステート政権。アメリカの優良５００社企業の５、６倍稼ぐ製薬会社の政治献金は巨額で、その支配下にある日本政府も１０５０万人分のワクチン・タミフルを備蓄しましたが、そのうち１０００万人分の50億円相当が期限切れで廃棄されました。テレビとメディアと政府が大騒ぎして製薬会社が大儲けする不正ビジネス商法は1976年、2009年にも繰り返された常套手段です。今、2020年から再び新型コロナ騒動で同じことをしています。しかも最もあくどいワクチン強制への世界的な動きです！　一体、私たちはどうしたらいいのだろうか？　何ができるだろうか？　何でこんな酷いことが起きたのだろうか？　どこにも抵抗しようがない。デモ暴動を起こしても無駄に捕まるだけ。

　まもなく不法の人、反キリスト独裁者が世界の表舞台に台頭します。しかし、解決があり、結論もあります。これを読めたあなたは選ばれた幸いな人、神様が救いのチャンスを与えておられます。真理への愛、イエス・キリストを本当に信じて悔い改め、命がけで神様にすがることです。イエス様に必死で叫び祈り、助けを求めることです。この天地は必ず滅び去ります。人の寿命も70年、健やかであっても80年、100歳超えてもいつかは死にます。しかし、罪人の陰謀、不正も罪も呪いも病も死もない聖なる天国が、あなたのために準備されています。イエス様は愛の救い主であなたを愛しています。だから十字架についてあなたと私の罪の罰の身代わりに血を流して死なれたのです。本気で信じてください。イエス様は三日目に復活されました。もう間もなく天国から迎えに来られます。永遠の命と最高に素晴らしい天国が現実にあります。あなたのために。

Ⅱテサ２：９－13「不法の人の到来は、サタンの働きによるのであって、あらゆる偽りの力、しるし、不思議がそれに伴い、また、滅びる人たちに対するあらゆる悪の欺きが行なわれます。なぜなら、彼らは救われるために真理への愛を受け入れなかったからです。それゆえ神は、彼らが偽りを信じるように、惑わす力を送り込まれます。それは、真理を信じないで、悪を喜んでいたすべての者が、さばかれるためです。しかし、あなたがたのことについては、私たちはいつでも神に感謝しなければなりません。主に愛されている兄弟たち。神は、御霊による聖めと、真理による信仰によって、あなたがたを、初めから救いにお選びになったからです。」

泉パウロ
純福音立川教会　牧師
『本当かデマか３・11［人工地震説の根拠］衝撃検証』ヒカルランド
『３・11人工地震でなぜ日本は狙われたか１』ヒカルランド
『３・11人工地震でなぜ日本は狙われたか２』ヒカルランド
『３・11人工地震でなぜ日本は狙われたか３』ヒカルランド
『３・11人工地震でなぜ日本は狙われたか４』ヒカルランド
『３・11人工地震でなぜ日本は狙われたか５』ヒカルランド
『３・11人工地震でなぜ日本は狙われたか６』ヒカルランド
『人工地震７　環境破壊兵器 HAARP が福島原発を粉砕した』ヒカルランド
『「イルミナティ対談」ベンジャミン・フルフォード×泉パウロ』学研
『悪魔の秘密結社「イルミナティ」の黙示録』学研
『大発見！　主イエスの血潮』マルコーシュ・パブリケーション
『イエス・キリストの大預言』マルコーシュ・パブリケーション
『大地震』フルゴスペル出版
『クリスチャンになろう！』フルゴスペル出版
『イエス様 感謝します』フルゴスペル出版
その他、日本 CGNTV、月刊誌 HOPE、
月刊誌 HAZAH など連載多数。

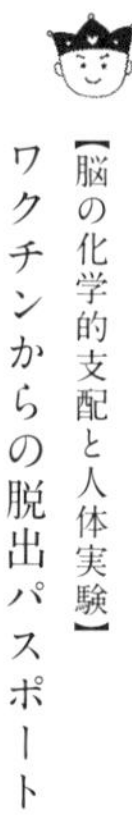

【脳の化学的支配と人体実験】
ワクチンからの脱出パスポート

第一刷　2021年12月31日

著者　泉パウロ

発行人　石井健資

発行所　株式会社ヒカルランド
〒162-0821　東京都新宿区津久戸町3-11　TH1ビル6F
電話　03-6265-0852　ファックス　03-6265-0853
http://www.hikaruland.co.jp　info@hikaruland.co.jp

振替　00180-8-496587

本文・カバー・製本　中央精版印刷株式会社

DTP　株式会社キャップス

編集担当　いとうあいこ

ISBN978-4-86742-059-1

ヒカルランド　泉パウロの好評既刊！

地上の星☆ヒカルランド　銀河より届く愛と叡智の宅配便

恐竜と巨人(ネフィリム)は
堕天使のハイブリッド！
著者：泉パウロ
四六ソフト　本体2,000円+税

[復刻版] 医療殺戮
著者：ユースタス・マリンズ
監修：内海 聡
訳者：天童竺丸
四六ソフト　本体3,000円+税

ヒカルランド　好評既刊！

地上の星☆ヒカルランド　銀河より届く愛と叡智の宅配便

PCRは、RNAウイルスの検査に使ってはならない

PCRの発明者であるキャリー・マリス博士（ノーベル賞受賞者）も、PCRを病原体検査に用いることの問題点を語っている。

徳島大学名誉教授　大橋眞

PCRは、RNAウイルスの検査に使ってはならない
著者：大橋 眞
四六ソフト　本体 1,300円+税

PCRとコロナと刷り込み
人の頭を支配するしくみ

新型コロナウイルスが存在する証明はなされてない！
なのになぜ、ワクチンと称する「謎の遺伝子」を注射するのか？

徳島大学名誉教授　大橋眞
細川博司

PCRとコロナと刷り込み
人の頭を支配するしくみ
著者：大橋 眞／細川博司
四六ソフト　本体 1,600円+税

北の学校から
PCナイ検査が始まった
文と絵：大橋 眞
B５変形ハード　本体 2,000円+税